CB134548

Minha Mãe Não Dorme Enquanto Eu Não Chegar

Moacyr Scliar

Minha Mãe Não Dorme Enquanto Eu Não Chegar

E outras crônicas

L&PM EDITORES

Capa: Ivan G. Pinheiro Machado
Revisão: Grázia Pinheiro Machado, Flávio Dotti Cesa

ISBN 85.254.0526-4

S419m Scliar, Moacyr, 1937-
Minha mãe não dorme enquanto eu não chegar / Moacyr Scliar -- 6 ed. -- Porto Alegre: L&PM, 2001.
92 p. : 21cm. — (Coleção A leitura é uma aventura)

1.Literatura infanto-juvenil. 2.Crônicas brasileiras. I.Título II.Série.

CDD J 869.93
028.5
CDU 087.5
869.0(81)-94

Catalogação elaborada por Izabel A. Merlo, CRB 10/329.

© Moacyr Scliar, 1995

Todos os direitos desta edição reservados à L&PM Editores S/A
Porto Alegre: Rua Comendador Coruja 314, loja 9 - 90220-180
Floresta - RS / Fone: (0xx51) 225.5777

Impresso no Brasil
Verão 2001

Índice

APRESENTAÇÃO

Memórias de Um Aprendiz de Escritor

Escrevo há muito tempo. Costumo dizer que, se ainda não aprendi – e acho mesmo que não aprendi, a gente nunca pára de aprender – não foi por falta de prática. Porque comecei muito cedo. Na verdade, todas as minhas recordações estão ligadas a isso, a ouvir e contar histórias. Não só histórias dos personagens que me encantaram, o Saci-Pererê, o Negrinho do Pastoreio, a Cuca, Hércules, Teseu, os Argonautas, Mickey Mouse, Tarzan, os Macabeus, os piratas, Tom Sawyer, Sacco e Vanzetti. Mas também as minhas próprias histórias, as histórias de meus personagens, estas criaturas reais ou imaginárias com quem convivi desde a infância.

Na verdade, eu escrevi ali em cima. *Verdade* é uma palavra muito relativa para um escritor de ficção. O que é verdade, o que é imaginação? No colégio onde fiz o segundo grau, o Júlio de Castilhos, havia um rapaz que tinha fama de mentiroso. Fama, não; ele *era* mentiroso. Todo mundo sabia que ele era mentiroso. Todo mundo, menos ele.

Uma vez, o rádio deu uma notícia alarmante: um avião em dificuldades sobrevoava Porto Alegre. Podia cair a qualquer momento. Fomos para o colégio, naquele dia, preocupados; e conversávamos sobre o assunto, quando apareceu ele, o Mentiroso. Pálido:

– Vocês nem podem imaginar!

Uma pausa dramática, e logo em seguida:

– Sabem este avião que estava em perigo? Caiu perto da minha casa. Escapamos por pouco. Gente, que coisa horrível!

E começou a descrever o avião incendiando, o piloto gritando por socorro... Uma cena impressionante. Aí veio um colega correndo, com a notícia: o avião acabara de aterrizar, são e salvo. Todo mundo começou a rir. Todo mundo, menos o Mentiroso:

– Não pode ser! – repetia, incrédulo, irritado. – Eu vi o avião cair!

Agora, quando lembro este fato, concluo que não estava mentindo. Ele vira, realmente, o avião cair. Com os olhos da imaginação, decerto; mas para ele o avião tinha caído, e tinha incendiado, e tudo o mais. E ele acreditava no que dizia, porque era um ficcionista. Tudo que precisava, naquele momento, era um lápis e papel. Se tivesse escrito o que dizia, seria um escritor; como não escrevera, tratava-se de um mentiroso. Uma questão de nomes, de palavras.

Palavras. São tudo, para quem escreve. Ou quase tudo. Como a serra, o martelo, a plaina, a madeira, a cola e os pregos para o marceneiro; como a colher, o prumo, os tijolos e a argamassa para o pedreiro; como a fazenda, a linha, a tesoura e a agulha para o alfaiate. Estou falando em instrumentos de trabalho, porque literatura nem sempre parece trabalho. Há uma história (sempre contando histórias, Moacyr Scliar! Sempre contando histórias!) sobre um escritor e seu vizinho. O vizinho olhava o escritor que estava sentado, quieto, no jardim, e perguntava: *Descansando, senhor escritor?* Ao que o escritor respondia: *Não, trabalhando*. Daí a pouco o vizinho via o escritor mexendo na terra, cuidando das plantas: *Trabalhando? Não*, respondia o escritor, *descansando*. As aparências enganam; enganam até ao próprio escritor. Gabriel García Marquez conta que, quando senta para escrever, gosta de estar rodeado dos mais variados instrumentos: a máquina, vários lápis, tesoura, cola, borracha, grampeador – para se sentir como um operário que vai empreender a tarefa; o operário em construção, de Vinicius de Moraes: "Era ele quem fazia casas/Onde antes só havia chão".

As palavras são tudo, você disse, Moacyr? Você mentiu, Moacyr. Mais uma vez você mentiu. As palavras não são tudo, e disso você bem sabe. A emoção conta, caro Moacyr. A emoção, as idéias, as lembranças. Fale um pouco sobre você, Moacyr.

Sim, senhor.

Quanto a isto, não tenho como mentir: nasci. Há documentos, a respeito. Provam que nasci a 23 de março de 1937, na cidade de Porto Alegre; mais precisamente, na Beneficência Portuguesa, um dos prédios mais antigos desta cidade, que, como muitas outras cidades brasileiras, tem escassa memória. Nasci, sim.

"Logo depois que nasci correu pela vizinhança que eu me chamava Mico..."

Estas linhas, se bem as lembro – e bem as lembro, sim!

– faziam parte de meu primeiro texto, escrito em papel de embrulho: uma autobiografia, muito precoce e necessariamente curta, pois eu não teria mais de seis anos. Alfabetizado precocemente por minha mãe, que era professora primária, eu optara por escrever, ao invés de jogar futebol (também jogava futebol, na calçada da minha rua; longas partidas, em que eram marcadas dezenas de gols; mas o futebol era – é – realidade, uma realidade terrivelmente importante neste país; e à realidade eu preferia a ficção. A narrativa).

Mico. Este apelido me marcou, pois os nomes marcam as pessoas. Todos os Brunos são fortes, todos os Betos são irrequietos – tenho um filho chamado Beto, sei disto. Mico – o que é que eu podia esperar da vida? Mico. Nunca conheci ninguém com este apelido. Na minha rua havia um Mike, e depois tive um amigo chamado Micão, mas Mico, de macaco, era só eu. Por causa deste apelido, acho, nunca pude me levar a sério. Felizmente. Nada mais chato que um sujeito que se leva inteiramente a sério. Cada vez que me julgo importante, por ser escritor, ou por ser médico, ou por escrever no jornal, uma vozinha debochada me chama à realidade – que besteiras são essas que andas escrevendo, Mico? – e me faz lembrar que é preciso ser humilde.

Nascido em Porto Alegre, passei parte de minha infância na cidade de Passo Fundo, onde meu pai tinha um bazar. (Tinha mesmo? Preciso perguntar a ele. Preciso perguntar muitas coisas a ele. Não o faço por medo que não saiba responder. Ou por medo de que saiba responder. Ou por medo, simplesmente. Diante de nossos pais, somos sempre crianças. Somos sempre o Mico.)

De Passo Fundo lembro uma cena, que depois dei, generosamente, a um personagem (Benjamim – *Os Voluntários*). Tinha – tenho – três, quatro anos. Caminho por minha rua; vou apressado. Nuvens ameaçadoras se acumulam no céu, vem um temporal, preciso chegar logo em casa. Os primeiros grossos pingos caem; mas neste momento avisto na calçada coisinhas – baganas de cigarro, fósforos queimados. Pobrezinhas, ali expostas à chuva, quem cuidará delas? Olho ao redor. Há uma porta aberta. Por acaso ou não, é a porta da Delegacia de Polícia, símbolo, para mim, do Poder. Sem vacilar, sem me importar com a chuvarada torrencial, entrego-me à tarefa de recolher baganas e fósforos para o vestíbulo da Delegacia. Faço-o chorando; não sei se de alegria, ou de dor, ou de medo. Choro, ao recolher os dispersos para o que agora poderá ser sua Casa.

Cresci ouvindo histórias. Porque tinham histórias a contar, eles: meus pais, meus tios, nossos vizinhos. Eram, na maioria, emigrantes. Da Rússia. Lá tinham vivido, como seus antepassados, em pequenas aldeias, em meio a uma lírica miséria, lendo a Bíblia, praticando a religião, e trabalhando como artesãos e pequenos comerciantes. A ruína do império czarista, nos anos que precederam a Revolução de 1917, acarretou também a destruição deste pequeno mundo. Sucediam-se os *pogroms*, os massacres de judeus, apoiados pelo governo, que assim esperava desviar a atenção do povo insatisfeito. As comunidades judaicas da Europa Ocidental, mais ricas e cultas, resolveram fazer algo, e criaram uma companhia de colonização. Os navios de emigrantes, que o pintor paulista Lasar Segall tão bem retratou, cruzaram o oceano, trazendo milhares de pessoas para a nova Terra da

Promissão: a América. No interior da Argentina e no interior do Rio Grande do Sul os colonos foram assentados, recebendo um lote de terra, ferramentas agrícolas, sementes. A experiência não deu certo. Não eram pessoas acostumadas às lides agrícolas; tudo lhes era estranho; além disto, a sangrenta revolução de 1923 no Rio Grande assustou os colonos e eles abandonaram as terras, dirigindo-se para as cidades. Quando meu pai chegou ao Brasil (minha mãe já nasceu aqui), a experiência da colonização judaica estava praticamente terminando. Mas as histórias ficaram.

Contar histórias. Eis uma coisa que meus pais sabiam fazer particularmente bem, com graça e humor; sabiam transformar pessoas em personagens, acontecimentos em situações ou cenas.

De minha mãe adquiri o gosto pela leitura. Éramos pobres; não indigentes; não chegávamos a passar fome, mas tínhamos de economizar. Apesar disto nunca me faltou dinheiro para livros. Minha mãe me levava à tradicional Livraria do Globo e eu podia escolher à vontade. Desde pequeno estava lendo. De tudo, como até hoje: Monteiro Lobato e revistas em quadrinhos, divulgação científica e romances. Mesmo os impróprios para menores. Minha mãe tinha *Saga*, de Erico Verissimo, escondido em seu roupeiro; naquela época, Erico era considerado um autor imoral. Falava em (horror!) sexo. Mas eu logo descobri onde estava a chave, e quando minha mãe saía, mergulhava na leitura proibida.

Ler. Lembro-me: uma manhã, acordo cedo. Não são seis horas ainda. Vou para a salinha da frente, abro a janela, pego um livro (são as aventuras do Camundongo Mickey). Leio um pouco. Olho pela janela. No leito da rua, uma pomba debica entre as pedras. Levanta a cabecinha e fixa em mim um pequeno olho escuro, duro como um grão. Mickey e a pomba. Por onde andará a pomba porto-alegrense que à tênue luz da madrugada parou um instante de bicar para olhar o garoto com o livro na mão? Não sei. Não sei de nada.

Monteiro Lobato era meu autor preferido. Mas eu também lia o "Tesouro da Juventude", uma enciclopédia infanto-juvenil em dezoito volumes. Curioso, eu queria saber tudo: por que chove? Quem depois de morta foi rainha? Lia, lia. Deitado num sofá, o livro servindo como barreira entre eu e o mundo. Isto: o livro é uma barreira; mas é também a porta. A porta para um mundo imaginário, onde eu vivia grande parte de meu tempo.

Interrompo a tarefa de escrever estas linhas, levanto-me, vou até a prateleira onde estão os meus livros infantis. São infantis mas não os de minha infância: estes sumiram. Aos poucos, num sebo e em outro, fui refazendo parte de minha biblioteca de então: *Rute e Alberto*, de Cecília Meirelles; *Os Nenês d'Água*, de Charles Kingsley; *Alice no País das Maravilhas; As Aventuras de Tibicuera*, de Erico Verissimo; *História de um Quebra-Nozes*, de Alexandre Dumas; *Robin Hood, Tarzan*, livros sobre piratas... Apanho um volume: é a trigésima edição de *Cazuza*, de Viriato Correa, obra concluída pelo autor justamente no ano em que nasci – 1937. Folheio-a com a mesma sensação que tive pela primeira vez, a de descobrir um Brasil que eu não conhecia, o Brasil do Maranhão, o Brasil do Pata Choca, do Padre Zacarias, de Luiz Gama. O Brasil do professor João Câncio dizendo – numa época em que o ufanismo era a tônica: "Somos um país pobre, um povo pobre... Mas justamente porque a terra não é a mais doce, nem a mais generosa, nem a mais rica é que é maior o valor de nossa gente". Humildes livros, bravos livros.

Eu estudava na escola judaica do bairro. Fecho os olhos e sem nenhum esforço evoco o casarão amarelo, o plátano que havia na frente, o tronco todo entalhado de nomes e iniciais; o portão que rangia, o pátio poeirento, as acanhadas salas de aula. Evoco meus colegas de aula, Menita, minha primeira namorada (namorada, por quê? Não sei. Mas tanto eu como ela tínhamos perdido os dentes da frente). Evoco minhas primeiras professoras, a severa Maria de Lourdes e a Dona Nair, em cujo colo muitas vezes chorei (por quê? Não sei. Mas faz falta, mesmo a um adulto, um colo onde se possa chorar); a linda Dona Esther – aliás, todas as professoras eram lindas, eu as amava a todas. E evoco sobretudo uma professora – Dona Sara, minha mãe. Não era fácil ser filho de professora, e mais ainda, ser filho de uma das mães mais superprotetoras que Deus botou na terra; as merendas que eu trazia dariam para alimentar um batalhão... Eu era magrinho.

Magrinho, e o menor do colégio. Tinha seis anos quando lá entrei, diretamente na segunda série primária. E porque era pequeno (e talvez também porque era filho de uma professora), os mais velhos debochavam de mim.

Uma tarde, eu brincava no pátio, sozinho. Era hora do recreio; a meu redor, todos corriam, jogavam bola, mas eu, distraído, esgaravatava a terra com um graveto.

De repente, achei uma moeda.

Uma moeda de duzentos réis! Que sorte. E logo em seguida achei outra moeda. E outra, e mais outra! Imaginei que tinha descoberto um oculto tesouro, decerto ali enterrado pelos piratas em épocas remotas – quando as ondas do mar vinham quebrar no pátio do colégio. Eu agora cavava furiosamente, gritando, sem poder me conter: *Um tesouro! Achei um tesouro!*

Não, não era um tesouro. Colocado atrás de mim, um garoto atirava habilidosamente as moedas que eu pensava estar encontrando. E de repente me dei conta porque estavam todos a meu redor, rindo, rindo a valer. Fiquei furioso. E quando o garoto me pediu o dinheiro, não quis entregá-lo: era meu! Me arrancaram as moedas à força e foram embora, rindo. Fiquei sozinho no pátio, chorando.

Mas eu realmente tinha encontrado um tesouro. Não as moedas: a história. Aquela, dos piratas... Minha imaginação fervilhava: um tesouro.

Em nossa primeira casa, na Rua Fernandes Vieira, o assoalho cedia ao passo e os ratos corriam pelo forro; mas havia um pátio, onde o capim vicejava, selvagem: mar. Neste mar eu navegava rumo a países distantes, a bordo de meu navio (um caixote de madeira). Piratas a bombordo! Monstros a estibordo! Os perigos enfrentava galhardamente, mas a meu destino nunca cheguei. Não foi preciso. Não é preciso.

Meus pais orgulhavam-se do que eu escrevia. Não eram ricos, como eu disse antes, mas um dos primeiros presentes que me deram foi uma máquina de escrever. Usada, claro, mas excelente – Royal, importada. O único problema é que, sendo uma máquina americana, não tinha os acentos, que eu era obrigado a colocar à mão. Acho que isto me ajudou no aprendizado da ortografia.

Meus pais mostravam aos parentes e amigos, orgulhosamente, meus textos datilografados. Escrevi sobre nossa viagem à praia – uma aventura. Na noite anterior à partida não podíamos dormir, tal a excitação. Levantávamos, meus primos e eu, ficávamos perambulando pela casa...

(Enquanto escrevo, meu filho Beto, de cinco anos, vem me mostrar, excitado, um papel, onde escreveu – pela primeira vez – seu nome. Um pequeno passo para a humanidade, um grande passo para ele. A aventura das letras compara-se, em emoção, à aventura de uma viagem ao mar. Pelo menos para quem tem o mar longe.)

Muitas outras pessoas me estimularam a escrever. Professores, por exemplo: Lourenço, irmão marista, meu professor de português no ginásio, que me fez publicar contos e artigos no jornal mural da escola. Comecei a ganhar prêmios: uma máquina fotográfica "America Box", um livro, medalhas. Eu gostava de competir; tinha aprendido isto no colégio, onde qualquer coisa era avaliada em pontos. Das competições entre colegas passei a concursos maiores. Uma vez me inscrevi num concurso de crônicas promovido pela *Folha da Tarde*, jornal de Porto Alegre, tendo como tema o Dia dos Pais. Ganhei, com uma emocionada crônica.

Das mãos do editor do jornal recebi meu prêmio – um vale para um par de sapatos. O que fazia sentido: o concurso tinha sido promovido por uma sapataria. Dirigi-me até lá. Antes de entrar, escolhi na vitrina os sapatos que queria: eram, creio, de crocodilo (pobre réptil; fora abatido por algum caçador furtivo para que um aprendiz de escritor ganhasse seu prêmio).

Entrei, já apresentei-me ao dono da loja como o vencedor do concurso literário. Não se impressionou muito; eu então disse que vinha buscar meus sapatos.

– Aqueles ali – apressei-me a acrescentar, apontando a vitrina.

– Um momento – disse ele –, para concursos literários não são aqueles sapatos. São estes aqui. – E mostrou um cesto com sapatos em oferta: solado de pneu números de 45 para cima. Minha consternação foi tamanha que o lojista teve pena de mim. – Vamos fazer o seguinte – disse. – Tu pagas a diferença e podes levar os sapatos da vitrina. – Assim foi feito e eu me tornei o primeiro escritor brasileiro a pagar por seu prêmio literário. Aliás, não foi a última vez: anos depois me inscrevi num concurso de contos promovido pela União Internacional de Estudantes. O primeiro prêmio era uma viagem à Europa; o segundo, uma coleção de discos. Ganhei o segundo, e fiquei muito contente, pois afinal tratava-se de certame internacional. Passados uns tempos, recebi um aviso da Alfândega: havia um pacote para mim. Fui até lá. Eram os meus discos. Peguei-os e já ia saindo, quando o encarregado me chamou: – Espera um momento, tens que pagar as taxas. – Que taxas? – perguntei, espantado. – As taxas de importação – respondeu.

Era uma fortuna, pelo menos para mim. Paguei, já irritado com uma situação que ameaçava repetir-se monotonamente, e fui embora. Em casa abri o pacote. Eram discos de músicas folclóricas tchecas – uma sucessão, parecia-me, de gritos e sons estranhos. Dei os discos a um primo, grande apreciador de folclore, que ficou muito agradecido.

(Estas histórias, tenho-as contado muitas vezes, tantas que já não sei mais o que é verdade e o que acrescentei. Como o rapaz do avião.)

Fiz o curso científico no Colégio Estadual Júlio de Castilhos, respeitada escola pública, de longa tradição liberal: vários políticos haviam passado por seus bancos. Logo eu estava também envolvido em política estudantil. Aliás, também nisto havia a influência de minha família; meu tio, Henrique, foi dos primeiros anarquistas no Rio Grande do Sul; meus primos Carlos, artista plástico, Esther, compositora, e Leonor, professora de literatura, tinham militância política. Carlos, a propósito, foi das pessoas que mais me motivaram não só a escrever, como para a literatura em geral. Criticava meus textos com rigor implacável ainda que amistoso; e quando me leu o conto *Uma Galinha*, de Clarice Lispector, tive certeza de que aquilo era Literatura, com L maiúsculo.

Política. Sim, era a fase. De um lado, irrompia em mim a revolta juvenil; de outro, o país estava em efervescência. Em agosto de 1954 – eu estava no último ano do colégio – o presidente Getúlio Vargas suicidou-se. A cidade inteira ficou convulsionada. Grupos percorriam as ruas, quebrando, depredando; as sedes de vários partidos políticos foram incendiadas, e bem assim a redação do *Diário de Notícias*, que fazia oposição ao presidente morto. Eu acompanhava tudo aquilo, ávido por ver, por escutar, por registrar na memória o que eu sabia ser um acontecimento histórico.

Fiz o vestibular para a Faculdade de Medicina. Fui aprovado; orgulhoso, passeava pela Rua da Praia com o boné verde dos calouros da Faculdade. Mas o encontro com a verdade não tardaria. Um dia abriram-se de par em par as portas do necrotério da Anatomia e ali estavam, sobre mesas de aço, os cadáveres nus.

Foi um choque; naquele momento, perdi definitivamente a inocência. É verdade que logo depois havíamos incorporado a morte à nossa rotina; já não se tratava de criaturas que tinham nascido, vivido, amado, aspirado a coisas, grandes ou pequenas; tratava-se de peças anatômicas, músculos, ossos, cartilagens; os nomes latinos nos eram ensinados e nós os memorizávamos, porque um dia aquilo seria útil.

Na Santa Casa, onde tínhamos aulas, e depois, como interno da Previdência Social, trabalhando em vilas populares da Grande Porto Alegre, eu entrava em contato com uma realidade para mim quase desconhecida – a da miséria. Dez, doze pessoas confinadas num casebre imundo, cheio de pulgas (nunca tive tanta pulga em minha vida), crianças famélicas – um quadro para mim dantesco. E o país voltava a se agitar. Em 1961 o Rio Grande do Sul viveu o episódio da Legalidade, que se seguiu à renúncia de Jânio Quadros e a uma frustrada manobra visando impedir a posse do vice-presidente João Goulart. A mobilização popular no Rio Grande do Sul foi impressionante; nos três anos seguintes, o clima político tornou-se conturbado. *Reformas de base* era a palavra de ordem. Nas assembléias do Centro Acadêmico da Faculdade de Medicina sucediam-se os discursos inflamados.

Voltei a escrever. Publicava em "O Bisturi", órgão do

Centro Acadêmico, e em outros pequenos jornais (em geral de vida efêmera), contos e artigos, em geral sobre minhas vivências como estudante de Medicina. No segundo semestre de 1962, meu amigo Carlos Stein e eu editamos – com a cara e a coragem – a primeira antologia de contos publicada no Rio Grande do Sul: *Nove do Sul.* Alguns bons autores gaúchos foram ali publicados pela primeira vez. E isto foi bom. Aliás, se eu tivesse de dar um conselho a quem começa, diria isto: não se deve ter pressa para publicar. É melhor ir devagar; primeiro o Jornal da escola, depois o da cidade, depois outros jornais e revistas, depois a antologia. É um conselho difícil de seguir, sei, pois o jovem tem pressa em se ver em letra de fôrma. O que, aliás, aconteceu comigo. Quando meu primeiro livro estava sendo impresso, eu não saía da gráfica – os operários já estavam até irritados com o escritorzinho que não parava de lhes encher o saco. No dia em que o livro ficou pronto, acordei de madrugada e, para chegar mais depressa, pedi o carro emprestado a meu pai. Era um velho automóvel, uma enorme draga que mal funcionava, e este dia não foi exceção: no trajeto, o motor apagou e não houve jeito de pegar. Abandonei o maldito veículo no meio da rua e segui correndo até a oficina – onde, enfim, esperava-me *o meu livro.* Depois passei muito tempo lamentando minha precipitação. Porque este livro, *Histórias de Médico em Formação*, uma antologia de meus contos de estudante de Medicina, não era muito bom. Era um livro juvenil, com problemas não resolvidos. Mas pior seria se tivesse ficado na gaveta para sempre. Não se deve deixar nada na gaveta; nem na mente; livros não mostrados, sentimentos não exteriorizados, fazem mal à pessoa. Depois de algum tempo degeneram e se transformam em algo maligno, que aborrece, entristece. O que entra deve sair, assim como o que sobe deve descer. Mesmo que se pague um preço pela precipitação. Cada vez que encontro num sebo um exemplar de *Histórias de Médico...* compro-o sem vacilar: não quero que outros o leiam. Este é um crime que deve ter poucas testemunhas.

Um último conselho: não se deve dar muita bola para conselhos. Não foram poucos os escritores – Marcel Proust, James Joyce, entre outros – a quem se aconselhou deixar a literatura e procurar coisa mais útil. Mas eles insistiram. Felizmente, insistiram. Ouvir o conselho, está bem; mas é preciso avaliá-lo de acordo com os critérios de cada um. Em literatura não há verdades definitivas.

Formado em Medicina, comecei imediatamente a trabalhar em um sanatório para doentes do pulmão – o começo de minha carreira de saúde pública. Conciliar esta atividade absorvente com a literatura foi-se tornando difícil – mas aprendi a escrever a qualquer momento, e em qualquer lugar. E também havia a famosa inspiração, a que eu obedecia sem vacilar. Uma vez me ocorreu a idéia para um conto quando eu estava no banho. Saí e imediatamente comecei a escrever. De repente, notei que tremia. De frio: estava sem roupa. Com o passar do tempo me tornei menos afoito e mais prudente. E mais disciplinado, também. Veio 1964. Alguma coisa mudou em mim. Passei a escrever de uma forma mais alegórica, menos direta. E levei tempo a publicar de novo. Entre o primeiro e o segundo livro (*O Carnaval dos Animais*, contos) passaram-se seis anos. Em *O Carnaval dos Animais* havia um conto chamado "As Ursas", inspirado naquele episódio bíblico em que o profeta Eliseu amaldiçoa os garotos que debocham dele, chamando-o de careca. Sempre admirei os profetas, homens destemidos, símbolos da consciência do povo; mas, confesso, nunca entendi essa do Eliseu. Mesmo agora, em que os cabelos já se me escasseiam – ou justamente agora – cada vez mais acredito na infância e na juventude. Sou fiel ao menino e ao jovem dentro de mim; fiel e talvez submisso, o que é causa de sofrimento, pois não há submissão sem dor. Mas não posso deixar de pensar, com melancólica ternura, no menino que escrevia suas historinhas em papel de embrulho, no menino que sempre acreditou na magia da ficção. A este menino, e a todos os jovens, dedico as páginas que se seguem.

Minha mãe não dorme enquanto eu não chegar

O título desta crônica foi tirado de um samba do grande Adoniran Barbosa: um rapaz explica à namorada que "não posso ficar mais nenhum minuto com você/sinto muito, amor, mas não pode ser" porque a mãe não dorme enquanto ele não chega.

De maneira geral, pais não dormem. Podem deitar, fechar os olhos, podem até roncar – mas na verdade não estão dormindo. Quando os filhos são pequenos, estão atentos a qualquer chorinho, a qualquer gemido; quando os filhos são maiores, ao contrário, é o silêncio que os mantêm despertos; o ominoso silêncio do quarto vazio: o filho ou a filha não estão, foram a um aniversário, a uma festa. Que terminará... Quem sabe quando termina uma festa de adolescentes? Para eles a vida é uma festa permanente, na qual o relógio é um corpo estranho.

Enquanto isso, os pais esperam. Poderiam não estar esperando, claro; poderiam ter dado a chave ao filho ou à filha. Mas dar a chave é um gesto simbólico para o qual os genitores nem sempre estão preparados, e que, de qualquer modo, não garante um repouso reparador; este só pode ter início depois do abençoado ruído da dita chave girando na fechadura.

O que fazem os pais enquanto esperam? Uns fingem dormir. Outros rolam na cama, inquietos. E há os que se levantam e vão preencher estas horas, que afinal são parte de sua vida, com algo que alivie a ansiedade, e que seja útil. Conheço uma senhora que usa esse tempo para ler a *Enciclopédia Britânica*; já está no volume 16 (*Mush to Ozon*) e ainda não recuperou a tranqüilidade. Há um pai que vê todos os filmes do madrugadão; segundo ele, uma noite dessas o James Cagney o mirou da tela e disse: "Vai dormir, rapaz! Já estou farto de te ver aí todas as noites!"

Mas os pais não dormem. Como Macbeth, eles ouviram a ordem fatídica: "Sleep no more!" (ainda que, diferente de Macbeth, eles não tenham culpa alguma; ou talvez tenham; quem sabe o que se passa no coração dos pais?). Seu suplício nada tem a ver com a idade do filho. Amigo meu, divorciado, voltou a morar com os pais; precisava de um tempo para se recuperar do trauma. Um tempo que ele teve, contudo, de abreviar – porque, cada vez que saía, a mãe lhe dizia: não vá voltar tarde, meu filho! E, cada vez que o programa noturno estava a ponto de gerar um romance, ele se lembrava da mãe acordada, a esperá-lo, e voltava. A insônia dos pais é eterna e incurável.

O AMIGO SECRETO

Amigo secreto, que grande idéia. Permite que a eventual modéstia do presente que se dá ou recebe fique oculta pelo piedoso véu do anonimato. O mais importante, porém, é a própria, ainda que fugaz, existência de um amigo secreto, alguém que pensa em nós, que se preocupa por nós porque é a sua obrigação. Quase como nosso pai ou nossa mãe. Quase como Deus. É verdade que Deus não recebe presentes de fim de ano, mas isto é porque ele não vai a festas de amigo secreto.

Há um pequeno problema com o presente que se recebe do amigo secreto. É que não dá para trocar. Se é um livro que já temos, ou uma gravata medonha, ou um cinto que dá duas vezes a volta à nossa cintura, não importa: é nosso, teremos de ficar com o presente. "Pessoal, quem me deu essa coisa horrorosa? Forneça-me a nota, por favor, que quero trocar." É possível? Não, não é possível. Cara-de-pau tem limite, mesmo – e sobretudo – nas festas natalinas. Ficamos, sim, com o presente. Amigo é pra essas coisas. Sobretudo amigo secreto.

Existe uma alternativa, porém. É passar a coisa adiante. O que já gerou mais de uma história curiosa.

Na festa do escritório, Pedro ganhou um presente do amigo secreto. O embrulho era muito bonito, mas ele seguro de que não gostaria: tinha muito azar nessas coisas.

Não deu outra. Era um porta-retratos, mas medonho, uma coisa *kitsch*, pintada de um vermelho ofensivo. Na hora, ele ocultou a decepção: mostrou o porta-retratos aos colegas, disse que era exatamente aquilo que estava esperando; mas saiu decepcionado.

Não se deu por achado, contudo. Naquele mesmo dia tinha uma festa de amigo secreto no clube onde jogava futebol de salão. Refez cuidadosamente o embrulho, e colocou nele um cartãozinho, destinando-o a seu amigo secreto, o Evaldo.

Evaldo não era um homem de fino gosto, mas não deixou de ficar chocado com o porta-retratos. Que coisa monstruosa, pensou. Mas, tal como Pedro, não revelou a sua contrariedade, fazendo, em público, um efusivo agradecimento. Ao sair do clube, pensou em jogar o porta-retratos fora; mas aí se lembrou que ainda tinha uma festa de amigo secreto, organizada pelos empregados da pequena firma de limpeza da qual era um dos proprietários. Seu, até certo ponto malévolo, raciocínio era de que para gente humilde qualquer porta-retratos escroto serve. Como Pedro, refez – com certa dificuldade, pois o papel prateado ameaçava rasgar – o embrulho e levou-o para a festa.

Estava cometendo um erro de cálculo. Por uma dessas ironias do destino, tão comuns em festas de fim de ano, o amigo que lhe cabia presentear era o seu próprio sócio. Quando se deu conta, era tarde demais; não dava nem tempo para correr no supermercado e comprar uma garrafa de uísque importado. De modo que Alberto, o sócio, acabou recebendo um porta-re-tratos. Achou um espanto, aquilo, mas agradeceu, etc.

A história poderia se prolongar indefinidamente, mas a vida humana é limitada e há um momento em que terminam as festas de amigo secreto. Alberto não tinha para quem dar o porta-retratos. Saiu da firma aborrecido, e pensando em terminar de vez a sociedade com o Evaldo: "Tenho certeza de que este canalha anda me sacaneando. Este presente é uma prova."

Ia jogá-lo no lixo. Mas aí, enquanto abria a porta do carro, um garotinho se aproximou – bem cuidado, tio! – e Alberto instantaneamente descobriu o que fazer com o porta-retratos:

– Não tenho trocado, meu filho, mas aqui está um presente pra ti.

Entrou no carro e partiu. O garoto sentou na calçada, abriu embrulho e – suave milagre – ficou deslumbrado com o que recebera. Um porta-retratos, que maravilha! E naquele momento mesmo decidiu: se um dia tirasse uma fotografia, ele a colocaria no porta-retratos vermelho.

Os adolescentes e a solidão

Há coisa pior que a solidão na adolescência? Parece que não, a julgar por uma pesquisa feita pela professora Oraides Regina Alves (Porto Alegre). A professora Oraides, como outros professores e professoras deste Estado, desenvolve, em condições nem sempre fáceis, um trabalho criativo e ao mesmo tempo revelador. Baseando-se numa reportagem da revista Nova Escola, ela perguntou aos alunos o que era, para eles, solidão.

As respostas são interessantes, porque falam muito sobre os jovens contemporâneos do *Mamonas Assassinas*. "Solidão é vir à aula na sexta-feira", diz o Rodrigo, para quem, parece, todos os fins de semana são prolongados. "Sentir-se sozinho num túnel sem aquela luzinha no final", diz Giovani, a melhor descrição do estado depressivo que já vi. Vitor Hugo dá à sua resposta uma dimensão social: para ele, solidão "é ver que a fome e a miséria estão tomando conta do nosso país". Celiana, para quem solidão é "escrever poemas de amor e não ter a quem dar", vinga-se do destino: depois de brigar com o namorado, a melhor coisa é "caminhar de salto alto para incomodar os vizinhos do andar de baixo". Eu não gostaria de morar nesse edifício.

O futebol também entra. Para o Vítor Hugo, solidão é ser colorado, enquanto o Ederson, que, evidentemente, torce para o mesmo time, diz que se sente solitário quando tem de assistir a uma decisão do Grêmio sozinho. Ainda dentro do item jogos e esportes, o Roger diz que solidão é estar com o videogame queimado (e pelo tempo que funcionam, os videogames devem queimar muito). A propósito, o Everton tem uma velada queixa contra a Companhia de Energia Elétrica: ele sente solitário quando "está sozinho e falta luz".

Há depoimentos comoventes. Solidão, diz a Tatiane, é "deitar na cama e beijar o travesseiro", ou, no plano familiar, "sentar à mesa e ver um único prato". Solidão, diz a Patrícia, é "saber que mais dia, menos dia, meus pais vão se separar". Solidão, diz Ederson, é "estar doente e ninguém vir lhe visitar"; "ter um pai que não liga a mínima para você", diz a Mariana. "Acordar e não ter a quem dizer bom-dia", acrescenta Odete.

Solidão é triste em qualquer idade. Mas na adolescência parece ser pior. O mundo será melhor quando os adolescentes não mais se sentirem sós.

HISTÓRIA DE PAI

Eles jogavam futebol todos os sábados à tarde, um grupo de profissionais liberais e executivos. Trocavam de roupa no vestiário do clube e iam para o gramado, onde, em meio a gritos e caneladas, descarregavam as frustrações da semana. Era uma rotina sagrada, que uma vez viu-se quebrada por um fato insólito.

Quando o Pedro, que era dos primeiros a chegar, entrou no vestiário, o Morais já estava lá, se fardando. Mas não estava sozinho: havia uma menina com ele, uma garotinha de uns cinco anos.

– Minha filha – disse o Morais.

Pedro não disse nada, sorriu amarelo.

– Você não vai mudar de roupa? – perguntou o Morais, e aí se deu conta. "Não vai me dizer que você está com vergonha da Marcela."

Pedro hesitou:

– Vergonha, não... Mas acho chato. Chato pra ela, inclusive. Será que ela não podia esperar lá fora?

A meninazinha não dizia nada. Olhava-os, com uma expressão triste. Morais suspirou:

– Não. Não pode. Eu acabo de me separar, você sabe, a mãe dela foi para São Paulo, e ela está muito carente, muito apegada a mim. Não me solta um segundo. Você não tem filhos, nem é casado, não sabe o que é isto. Mas é duro, acredite.

Pedro vacilava ainda, contrafeito:

– Será que ela não podia pelo menos ficar de costas?

Aí o Morais explodiu:

– Mas que bobagem é essa, cara? Você não pode trocar de roupa na frente de uma garotinha? Não enche o saco, pô. Ela não vai sair daqui. E se você não gosta, jogue vestido.

O Pedro jogou vestido. Excelente centroavante, ele teve, no entanto, uma atuação medíocre. Que o Morais, capitão do time vencedor, considerou um castigo:

– Quando você se tornar pai, vai melhorar – disse triunfante. E foi embora, levando a filha pela mão.

UM FILHO E SEU PAI

Entre os textos mais impressionantes do escritor tcheco Franz Kafka está a carta que escreveu – e nunca entregou – a seu pai. É um documento, podemos chamá-lo assim, que comove pela autenticidade, pela dilacerante busca de entendimento do que são as relações pai-filho. Nunca, diz o crítico Erich Heller, um pai teve um filho tão implacável como promotor nem, ao mesmo tempo, tão eficaz como advogado de defesa (Kafka, a propósito, era formado em Direito, embora nunca tenha exercido a advocacia). Paradoxal, tal atitude? Não em Kafka, o escritor do paradoxo. De mais a mais, acusação e defesa têm a ver com o grande tema da obra kafkiana, a culpa e o castigo. Ou melhor, a desproporção absurda entre o castigo e a culpa. O absurdo é a obsessão de Kafka. E ele tenta, nesta carta, vencê-lo com as armas da razão. Kafka quer entender. Entender a si mesmo e a seu pai. Uma tarefa a que todos os filhos têm se entregue, com maior ou menor sofrimento, desde Adão, o único homem que provavelmente não sofreu do complexo de Édipo (e adiantaria ter complexo de Édipo em relação a Deus Todo-Poderoso? Nem todos os psicanalistas da Terra, trabalhando com todos os divãs, e cobrando o equivalente à dívida externa brasileira, conseguiriam curá-lo).

"Querido pai: recentemente me perguntaste por que afirmo que tenho medo de ti. Como de hábito, fui incapaz de pensar numa resposta a tua questão, em primeiro lugar pela razão mesma de ter medo de ti..."

Aí está: Kafka não pode dizer por que tem medo do pai, exatamente porque tem medo. O paradoxo. Como dizia Montaigne: tenho medo de ter medo. Estamos falando do medo ancestral, evidentemente, aquele Medo com M maiúsculo que habita em nós desde a expulsão do Paraíso. Um medo capaz de paralisar, tal como o olhar hipnótico da serpente paralisa o pássaro que ela vai devorar (e que faz da serpente o símbolo do Mal).

Mas Kafka não se deixará paralisar. Não na intimidade de seu quarto, com a caneta e o papel; ele escreverá, confiando em que as palavras traçarão a trajetória que o conduzirá à verdade. Do presente ele se volta ao passado; e busca, na história de suas relações com o pai, a causa das desavenças, dos mal-entendidos, do sofrimento – e do medo. E então ele conta um episódio da infância: o único episódio que lembra de seus primeiros anos de vida e que – espera – o pai há de lembrar também.

"Uma noite eu choramingava constantemente, pedindo água. Não que estivesse com sede, mas provavelmente para incomodar e também para me divertir um pouco. Depois de várias e ineficazes ameaças, tu me tiraste da cama, me levaste

para o terraço, fechaste a porta e ali me deixaste, de pijama, por algum tempo."

Aqui a gente tem de fazer uma pausa e imaginar o que significa este relato, em termos de acusação.

Evidentemente Kafka quer que o pai sofra, em termos de culpa, tudo que ele sofreu, em termos de terror, ao se ver expulso (como Adão, e sem nenhuma Eva a acompanhá-lo) para a escuridão da noite, a porta fechando-se atrás dele. Mas, tendo feito a acusação, Kafka fica culpado, e logo providencia uma absolvição para o pai:

"Não direi que isto tenha sido errado, talvez não houvesse outra maneira de obteres silêncio e sossego naquela noite..."

E o resultado final: o algoz internalizado.

"Por muitos anos depois disto sofri da atormentadora obsessão que o homenzarrão, meu pai, a suprema autoridade, viria no meio da noite e praticamente por nenhuma razão me tiraria da cama e me poria lá fora, no terraço, como se eu fosse algo insignificante."

O pai de Kafka, ao que saibamos, nunca escreveu uma carta a seu filho. Não era de seu estilo; segundo o próprio Kafka, tratava-se de um homem prático, enérgico e completamente envolvido em seus negócios. E se pensou em escrever, não teve tempo: Kafka, tuberculoso, morreu cedo.

Há uns anos o Instituto Goethe trouxe a Porto Alegre uma mostra de fotografias sobre a vida de Kafka, e lá estava seu pai: alto, corpulento, bem vestido e expressão arrogante. Outra foto, porém, mostrava-o depois da morte do filho. Era dramática a metamorfose. O que se via ali era um homem encanecido, alquebrado. Vencido. Consumindo-se em sua dor, ele dava a resposta que o filho já não poderia mais obter. *Eu te amo, meu filho*, era o que ele estava dizendo.

Pais e filhos, filhos e pais. Quando é que os pais vão entender os filhos? Quando é que os filhos vão entender os pais? Talvez nos ajudasse a todos, pais e filhos, o pensamento de que não há pais e filhos, que a criança, como disse o poeta Wordsworth, também pode ser o pai do adulto. Adultos e crianças somos todos criaturas um pouco perplexas, um pouco assustadas – comicamente assustadas – tentando entender a vida.

Beto Scliar: não é fácil ser pai. Beto Scliar: é muito bom ser pai.

O CONTESTADOR

Era um contestador. Desde pequeno. Protestava sempre. Olhava ao redor, na casa em que moravam – realmente uma bela casa, uma mansão – e resmungava:

– Os pobres passando fome, e nós aqui nesta mansão.

Iam a um restaurante. Olhava o *coq au vin*:

– Os pobres passando fome, e nós aqui nos banqueteando.

Viajavam, iam para o Rio. Na praia:

– Nós aqui nos divertindo e os pobres passando fome.

Os pais, perplexos, não sabiam o que fazer. Na verdade o pai, próspero comerciante, reconhecia uma grande parcela de verdade nas palavras do filho. Em sua juventude tinha sido militante de esquerda. Eu também protestava, dizia à esposa. E com estas mesmas palavras. Movido por sentimentos de culpa, resolveu aplacar a raiva do filho. Começou trocando a casa, com enorme prejuízo, por um apartamento bem mais simples. Não adiantou:

– Os pobres passando fome, e nós aqui neste apartamento.

Deixaram de ir a restaurantes: quando queriam comer fora, procuravam uma lanchonete. Inútil:

– Os pobres passando fome, e nós aqui nesta lanchonete.

O pobre homem se desesperava. Perdeu o gosto pela vida, se descuidou dos negócios, já não se atrevia sequer a ir passear no parque, porque:

– Nós aqui passeando no parque e os pobres passando fome.

Veio a falência. O homem teve de vender tudo. E aí ficaram pobres, realmente pobres. O homem suspirou: bem, pelo menos ele não tem o que dizer. Mas, da primeira vez que sentaram em torno à mesa para partilhar uma rala sopa, uma sopa de indigentes, o filho disse:

– Os pobres passando fome –

Deteve-se. Hesitou um instante e concluiu:

– E nós aqui passando fome.

O pai suspirou. Tinha compreendido tudo: há fomes que são eternas.

Em homenagem ao Dia das Mães

O REGIMENTO INTERNO DA FAMÍLIA

(Tal como visto pelas próprias mães)

Artigo Primeiro – A família é constituída de pai, mãe e filhos. Os filhos podem ser vários.

Os pais, segundo antigas anedotas, também podem ser vários. Agora: mãe, só uma.

Artigo Segundo – Compete ao pai:

a) Chefiar a família em todas as circunstâncias;

b) Prover o sustento dos seus, alardeando-o aos quatro ventos com frases do tipo: eu me mato trabalhando;

c) Ir ao futebol nos domingos, voltando irritado com o desempenho do time;

d) Tomar chope;

e) Participar num carteado de vez em quando;

f) Dormir nos sábados à tarde, exigindo da família o máximo de silêncio;

g) Reclamar da comida, das camisas que não estão limpas e dos papéis que somem.

Artigo terceiro – Compete aos filhos:

a) Transformar a casa num caos, desarrumando tudo que encontram pela frente;

b) Quebrar objetos de estimação;

c) Encher-se de balas e chocolates, mas não comer nada às refeições;

d) Chorar à noite quando são pequenos e sumir à noite quando são maiores;

e) Estragar sapatos, rasgar roupas e perder coisas;

f) Fazer xixi na cama quando são pequenos e desafiar a autoridade dos pais quando são maiores.

Artigo quarto – São tarefas da mãe (mãe não tem competências, só tarefas):

a) Desdobrar fibra por fibra o coração;

b) Sofrer no paraíso;

c) Acordar às seis da manhã para preparar os filhos para o colégio;

d) Limpar, limpar, limpar; lavar, lavar, lavar; arrumar, arrumar, arrumar;

e) Suspirar pela carreira desperdiçada; invejar as amigas que não casaram, que são independentes, que têm uma profissão;

f) Amaldiçoar o papel de mãe, mas

g) Correr cada vez que o filho chora, aos gritos de *Não chora, filhinho, a mamãe já vai aí!*

O Vestibular

Esses dias avistei na rua um velho amigo, o Rodolfo. Vinha em minha direção, os olhos brilhando (aliás, é o característico número um de Rodolfo, o brilho nos olhos, um pouco desvairado, mas um brilho permanente, o que é raro nestes tempos de coisas tão transitórias), e antes que abrisse a boca eu já sabia que iria falar de vestibular.

Rodolfo é um eterno vestibulando. Quando terminou o científico, as opções eram poucas. A mãe, filha de médico, queria que ele fizesse Medicina; o pai recomendava Engenharia, prevendo que o surto de construções não cessaria de crescer. Mas Rodolfo gostava de discutir, por isso fez Direito. Já ao final do primeiro ano estava arrependido: era muita teoria, muito blá-blá, e ele, embora gostasse de discutir, era um espírita prático, consertava abajures, rádios. Por isso, fez novo vestibular, para Engenharia, mas não Engenharia Civil, como o pai queria, e sim Eletrotécnica. Cursou três meses e desistiu. Era de fato uma coisa prática, mas era limitante, e ele queria um campo mais amplo para seu espírito especulativo. Fez Filosofia. Passou, cursou seis meses e desistiu. Suas inquietudes não se apaziguavam com os textos socráticos e platônicos; queria intervir no ser humano, mas a um nível mais concreto – algo que sem dúvida herdara do avô médico. Fez Medicina, cursou um ano, mas teve de desistir: não suportava a visão dos cadáveres. Em busca de algo mais estético, chegou a fazer vestibular de Belas Artes. Logo, contudo, se convenceu de que não havia campo para isso no Brasil; mudou para Arquitetura. O planejamento da vida humana em termos de espaço parecia-lhe uma boa, mas por outro lado agora notava em si uma inclinação social – não lhe agradava ficar projetando casas para ricos. Urbanismo, por outro lado, envolvia um comprometimento com o governo, qualquer governo, coisa que ele, um espírito livre (herdara a rebeldia de um bisavô anarquista), não podia admitir. Foi fazer Sociologia, mas como lhe pareceu uma coisa muito vaga, mudou para Economia. Com os números sentiu-se um pouco melhor, mas como queria uma coisa mais concreta mudou para Geologia – que coisa mais concreta que rochas? Um pouco árido, contudo, para ele, que afinal gostava de gente, de se comunicar; foi fazer Jornalismo. Desiludiu-se logo; parecia-lhe coisa superficial, transitória. Queria algo mais permanente, então fez vestibular para História...

(Neste meio tempo, trabalhava na loja do pai; o velho, compreensivo, não se opunha a que ele cursasse sucessivas Faculdades. A loja, ainda que pequena, dava bem; isto que, no meio tempo, Rodolfo casara e se tornara pai de três filhos).

– Adivinha! – gritou-me, ainda de longe. – Adivinha que vestibular vou fazer!

Eu não podia adivinhar. Ele então me disse; era – o quê? – já não lembro, parece que Processamento de Dados, ou Psicologia, ou Administração de Empresas; algo que satisfazia seu espírito prático, ou seus anseios humanistas, ou sua disposição de intervir na sociedade. Despediu-se, apressado como sempre, e eu segui meu caminho, pensando numa frase que resumisse o caso de Rodolfo. Uma frase do tipo – para a vida, não se faz vestibular – uma frase que contivesse um ensinamento prático e que, ao mesmo tempo, proporcionasse campo amplo para especulações e que apontasse um caminho para uma intervenção concreta em nível do humano... Achar uma frase assim poderia ser uma boa questão de vestibular. Qual vestibular não sei, nem me perguntem.

Perguntas sobre o texto

Qual o propósito do autor ao redigir estas mal traçadas linhas? Quis ele fazer uma crítica ao sistema educacional vigente no País, ou, de forma mais abrangente, desencadear um ataque verdadeiramente demolidor à atual estrutura social, ao mundo injusto em que vivemos? Quis ele fazer uma sátira? Quis ele fazer humor? Ou pretendia refletir profundamente sobre a condição humana, sobre as incógnitas que afligem a todos e que dizem respeito a questões existenciais tais como "quem sou", "para onde vou", "qual o sentido da vida"? Ou na realidade estava, sob forma de um personagem fictício, evocando seus próprios problemas, suas numerosas frustrações, seus recalques capazes (sic) de encher um texto de patologia mental? Queria ele dar, como é costume entre certos escritores, uma mensagem aos jovens, plena de sabedoria e repassada de humor e ternura? O que é que ele queria, afinal? Alguém sabe dizer? Quem souber tem nota dez. Para sempre.

Pietà

Talvez não exista imagem mais dramática, mais dilacerante do amor materno que a Pietà, de Michelangelo. A Mãe que segura o filho morto ao colo traduz, apesar da frieza do mármore (ou justamente por causa dela, por causa do contraste que proporciona aquela superfície lisa, branca e fria com o medonho sofrimento), toda a dimensão que pode atingir esta que é a mais singular das formas de amor, o amor que a natureza criou para assegurar a perpetuação da espécie.

Mas há outra imagem igualmente terrível, se bem que não expressa em mármore, ou em bronze ou em quadros: é a do filho que sustenta a mãe moribunda. E é uma coisa curiosa que tal imagem seja tão rara. Curiosa e significativa. É como se os artistas quisessem nos poupar da visão da morte da mãe, um fato biologicamente até mais provável, mas inadmissível; a idéia da mãe está ligada a de um amor que é profundo, que é incondicional; que é eterno.

E no entanto as mães morrem, como o sabem todos que vêem o Dia das Mães se aproximar com uma certa melancolia –

porque já não têm a quem homenagear. Quando a gente menos espera, as mães se vão. Desaparecem, nos deixam.

Minha mãe morreu. De câncer, como muitas outras mães. Uma doença apavorante, mas não rara: é a segunda causa de óbito no Rio Grande do Sul. E eu, como médico, deveria estar preparado para a idéia de câncer em alguém dos meus.

Mas não estava preparado. E nem pude aceitar a situação. Nem o diagnóstico, nem o tratamento, nem o prognóstico, nada. Quando, saindo da sala de operações, o cirurgião me disse as clássicas palavras – não há nada a fazer, está tudo tomado – tive, pela primeira vez na minha vida, a sensação da vertigem existencial, aquela vertigem que, num átimo, nos precipita no mais fundo dos abismos. É uma sensação que só não nos aniquila porque é passageira, porque nos dá o resto da vida (seja este resto quanto for) para que nos recuperemos.

A agonia foi longa, dolorosa e insuportável. O câncer é o espectro de nossos tempos, a enfermidade que tem na desmoralização que provoca sua malignidade maior. Espera-se pela morte como por uma libertação.

E a morte veio, na hora em que a morte chega; poucos minutos após a meia-noite, quando as pessoas, cansadas, entregam-se ao repouso.

No quarto do hospital, esperávamos pelo fim, o soro a pingar monotonamente, inutilmente. De repente, ela se soergueu; sustentei-a como pude, com braços que fraquejavam; e ela então me olhou, e este olhar não mais poderei esquecer, porque não era só um olhar aterrorizado, era o olhar do ser humano fitando o Destino que bate à sua porta, o olhar que não entende, o olhar que pergunta por quê?, olhar que pergunta qual o sentido disto tudo?

Não, não era eu quem perguntava desta vez. Não era o menino curioso a indagar: mãe, por que chove? Mãe, aquilo na Lua é uma cara? Mãe, como é que os aviões voam? Não, eu já não podia perguntar nada, não podia sequer implorar à minha mãe que me transmitisse uma última mensagem, uma derradeira lição de vida. Tudo que eu poderia fazer era sustentá-la em meus braços. Tudo que eu poderia fazer era ter piedade: pietà.

E piedade eu tive. Dela, de mim, de todos nós. Dos filhos, dos pais, das mães. Porque não há filhos, não há pais, não há mães, nesses momentos; há criancinhas assustadas diante da Grande Incógnita.

Meu primo, que também é médico, me ajudou naqueles últimos instantes. E logo depois estava tudo terminado.

Às vezes vejo meu filho Beto acariciar os cabelos de sua mãe. É um gesto terno, um gesto delicado, mas é sobretudo um gesto de instintiva sabedoria. Precisamos cuidar de nossas mães, precisamos protegê-las, precisamos reconhecer nelas as frágeis criaturas que muitas vezes são. Precisamos ajudá-las a escrever o poema pedagógico que é a edificação de uma vida. E precisamos fazer isto com a arte e a paciência com que Michelangelo esculpiu a Pietà.

Aos olhos da mestra

Evoco uma cena de minha infância: a professora entrando na sala, e os olhares de cinqüenta alunos imediatamente convergindo sobre ela, à espera do que ia fazer ou dizer. A encenação de um texto? Uma aula comum? Uma sabatina de improviso?

Os olhares sobre ela. Durante anos pensei na professora como uma pessoa a ser olhada, a ser observada, a ser escutada. Mas depois – acho que aí já estava me tornando adulto – comecei a pensar na professora como uma pessoa que olha. E como é este olhar do mestre sobre a classe? Que panorama ele divisa?

Só recentemente, dando palestras a diferentes grupos de estudantes, me dei conta de que, da perspectiva do professor, há muitas formas de ver os alunos.

Mas há uma que me parece muito constante: aquela que divide a classe, mediante uma linha imaginária, em duas metades, a da frente e a de trás.

O aluno da frente é o que chega cedo, o que vem limpinho e arrumado. Seus lápis estão cuidadosamente apontados, seus cadernos escrupulosamente cuidados. Ele senta inclinado para a frente; testa enrugada, olhar fixo, boca entreaberta, ele bebe todas as palavras da professora, faz anotações, não esquece nada. O aluno da frente é aplicado, ele sabe tudo; ele tira boas notas, não cola no exame, não conversa com o vizinho do lado.

Muitas vezes fica depois da aula, faz perguntas. Nos velhos tempos este aluno era classificado como *caxias*, talvez como homenagem ao infatigável militar que se dedicou – justamente – a impor a ordem e a disciplina neste país; ou, mais grosseiramente, de *cu-de-ferro* (cdf), sugerindo um traseiro habituado a longas temporadas sobre duros assentos (tanto o apelido como a situação se constituindo no terror da proctologia).

O aluno lá de trás chega depois que a aula começou. Muitas vezes nem traz livros ou cadernos. Senta atirado para trás, encostado na parede – o que é um privilégio de poucos, pois nem todas as filas são a última fila. O aluno lá de trás fuma, diz palavrões, dá tapas nos colegas da frente e conversa com os do lado. Cola descaradamente na prova, mas mesmo assim suas notas são péssimas. Contudo, o que melhor caracteriza o aluno lá de trás são os óculos escuros, particularmente aqueles, hoje raros, de lentes espelhadas.

Atrás dos óculos escuros o aluno lá de trás torna-se uma figura enigmática. A professora nunca sabe se ele está tramando alguma coisa, se está distante, ou mesmo se está dormindo.

Alunos da frente e alunos de trás. Uma classificação que é inútil, naturalmente: na sociedade competitiva em que vivemos é muito possível que o aluno da frente se torne um pobre funcionário e que o aluno de trás se transforme num grande magnata. Mas há outra razão pela qual esta classificação não importa. É que em algum lugar da classe há um aluno que ama desesperadamente a professora, que povoa com a figura dela seus sonhos e seus devaneios, que suspira por um olhar dela. E este aluno tanto pode estar sentado na frente como atrás. O amor à professora supera todas as barreiras.

O FILHO MAIS VELHO

(UMA QUEIXA)

Existem numerosos estudos sobre a personalidade do filho único, e o caçula é sempre o heróico e divertido personagem de muitas histórias (o *Pequeno Polegar* salva seus irmãos, e em *O Gato de Botas* o filho mais moço, a princípio despojado, acaba casando com a filha do rei), mas pouca gente fala do filho mais velho. Os menores, os mais fracos, naturalmente atraem as simpatias; sobra para os mais velhos o silêncio que freqüentemente envolve o poder. Parte-se do princípio de que o filho mais velho tem uma posição privilegiada, situando-se entre os pais e os irmãos mais jovens.

Erro. Erro cruel. O silêncio do filho mais velho nasce mais freqüentemente do estoicismo do que de qualquer outra coisa. Porque o filho mais velho paga caro os escassos anos de glória, aqueles em que é primeiro e único. Passado este período em que todas as atenções se concentram nele ou nela, começam a surgir os intrusos, os rivais. E como mamam, estes rivais. E como choram à noite. Deitado em sua cama (a esta altura já foi expulso de qualquer berço) o filho mais velho tapa a cabeça com travesseiros e imagina vinganças terríveis: um lobo entrando pela janela e carregando o bebê, por exemplo. Isto não acontecendo, o filho mais velho vinga-se como costumam se vingar os neuróticos: em silêncio e se mortificando. Param de comer, por exemplo, querendo com isto chamar a atenção dos pais. O que acontece, mas como tiro pela culatra; preocupados (mas também indignados: era só o que faltava) com a inapetência do filho, os pais levam-no ao médico, pedem vitaminas (antigamente sob forma de injeção), exigem um rápido aumento de peso.

A esta altura, nós podemos entender o drama do mais conhecido primogênito, o bíblico Esaú. Para todos os observadores do Antigo Testamento, Esaú fez um mau negócio, trocando a primogenitura por um prato de ervilhas. Mas Esaú fez o único negócio que podia fazer, aquele que sua angústia exigia. Ele deveria ter esperado um pouco pela hora de almoço, é o que se diz; mas ele não podia esperar mais. Porque sua fome era antiga, arcaica. Sua fome era descomunal, como é descomunal a fome daquele que foi privado de carinho. Na realidade, Esaú precisaria de um caminhão de lentilhas. Um prato até que foi pouco. Talvez ele acreditasse no poder mágico daquelas lentilhas (muitas pessoas comem lentilhas no Ano-Novo para ter sorte), talvez ele pensasse estar ingerindo não os grãos da leguminosa, mas minúsculos e poderosos comprimidos de afeto.

Pobre Esaú. Ainda por cima, segundo a Bíblia, era peludo. Peludo, recordemos, é aquele humilde empregado que, no circo, prepara o picadeiro para a entrada dos artistas. É o que faz o filho mais velho: prepara o picadeiro para a entrada dos artistas.

O FILHO MAIS MOÇO

(OUTRA QUEIXA)

A palavra caçula inevitavelmente inspira simpatia nas pessoas. Havia até um refrigerante, o Guaraná Caçula, que explorava esta ternura que todos sentem pelo menorzinho, pelo mais fraco. Mas será que o filho mais moço gosta de sua posição? Afinal, ele não é apenas o menor; ele é o último. Quando chega, todos os quartos da casa estão ocupados, ele tem de dividir seu dormitório com alguém. Quando chega, as finanças da família já não são o que eram quando nasceram os outros irmãos; com o filho mais moço os pais já não esbanjam, aprenderam a fazer economia. A ele tocam os brinquedos que os outros usaram, as roupas que ficaram, durante anos, guardadas num armário ou numa mala.

De um modo geral, o filho mais moço vive à sombra dos irmãos. Como em geral freqüenta o colégio por onde os manos passaram, tem de ouvir dos professores comentários saudosos: Teu irmão, sim, "era um gênio" ou, "tua irmã cantava muito bem. Pena que sejas tão desafinada".

O filho mais moço encontra os pais mais experientes – e também mais calejados. "Não quer comer? Não come." Pai algum acredita em greve de fome de caçula: se este é o menor, pode ser também o mais magro.

Por tudo isto, é um erro achar que o Pequeno Polegar é o símbolo dos caçulas. Para começar a analogia não é correta. O Polegar é o menor dos dedos mas tem poderes que os outros não tem. É o dedo que caracteriza a mão humana, que dá a esta a diferenciação fundamental com as patas dos mamíferos – a capacidade de apreensão. Opondo-se aos outros dedos, o polegar na verdade os domina. Tanto que é o dedo escolhido para o registro das impressões digitais, o dedo que identifica a pessoa.

Não. O símbolo do caçula é, na verdade, o dedo mínimo, pequeno, magrinho. O dedo a que somente alguns motoristas de táxi dão importância – quando deixam crescer a unha, e o usam para esgravatar ouvido. Fora disto, o mínimo é realmente o mais insignificante dos dedos. Tal como se sente o caçula quando os irmãos o mandam de volta para casa: o programa que vão fazer (seja qual for) é coisa para homem, não para pirralhos.

E a história de Esaú e Jacó? Ah, sim, a história de Esaú e Jacó. Num passe de mágica, o primogênito perde tudo e o caçula ganha tudo, porque o primogênito tem tudo a perder e o caçula, como o proletariado na frase de Marx, tudo a ganhar. Mas será que Jacó ficou satisfeito com a primogenitura? Provavelmente não. Provavelmente o que ele queria, e isto a mãe dele não sabia, era um grande, um descomunal prato de saborosas lentilhas. Mas isto ele não levou. O caçula é um eterno incompreendido.

Mãe, por incrível que pareça, é só uma

Um dia vão inventar uma mãe artificial. Inventam tudo, por que não mães? Aliás, já há tentativas neste sentido. Erik Erickson conta que o Professor Harry Harlow tirou macacos de suas mães verdadeiras logo após o nascimento e entregou-os a "mães" feitas de trapos e arame, contendo uma mamadeira com leite, e aquecida a uma temperatura igual à dos macacos.

Os pequenos macacos cresceram e se desenvolveram, mas o que aconteceu com eles?

Ficavam sentados, imóveis, com o olhar vago. Quando cutucados, mordiam a si próprios, até sangrar – não tinham aprendido a experiência do outro, seja este outro a mãe, irmão ou inimigo. Das fêmeas, poucas procriaram, e mesmo assim não tentavam cuidar dos filhos.

Claro, direis. Uma mãe de trapos é uma coisa imperfeita. Hoje, os cientistas podem fazer coisa muito melhor. Podem fazer uma mãe-robô, transistorizada, computadorizada.

Podem? Talvez. Mas terão de atentar para muitos detalhes.

Terão de fazer esta mãe com braços muito fortes. Braços capazes de suportar uma criança durante noites inteiras. Braços capazes de embalar o bebê e de lavar fraldas.

Terão de fazê-la com mãos hábeis. Mãos capazes de sentir na testa a febre, assim que ela começa a subir. Mãos aptas a preparar aquela comida que só as mães sabem fazer; mãos treinadas para guiar a mãozinha que começa a rabiscar as primeiras letras. Mãos assim são verdadeiros instrumentos de precisão. Dá para fazer? Pode ser que dê.

Terão de fazê-la, a mãe-robô, com pernas muito resistentes. Não são poucas as mães que ficam em filas, que têm de correr de um lado para outro para arranjar alimentos e remédios. Ou papéis para a matrícula.

Terão de fazê-la com bons olhos. Olhos de mãe enxergam muito: divisam, nos rostos dos filhos, os quase imperceptíveis sinais de tristeza, de frustração. Da safadeza, também.

Terão de fazê-la com excelentes ouvidos – capazes de perceber o choro de um bebê mal ele comece. E capazes de ouvir pacientemente as lamúrias do filho adolescente.

Boca? Claro. Onde é que se viu uma mãe que não fala? Que não beija? E nariz também. O nariz da mãe é o primeiro a descobrir que o filho bebeu. Não que isso sempre tenha importância – mas é bom que a ocorrência fique registrada.

Terão de fazê-la com bons pulmões: não são poucas as vezes em que uma mãe precisa gritar, de medo, de raiva, de alegria, de dor. A propósito, terão de fazê-la com cabelos fortes, capazes de resistir aos puxões do desespero.

– Seios? Claro. Coração? Forte, fortíssimo. E bons músculos, e ossos rijos.

Pode ser que os cientistas encontrem o material indicado. Pode ser que consigam montar as peças direitinho. Pode ser que consigam fazer uma mãe-robô em tudo semelhante a uma mãe verdadeira.

Mas duvido que consigam fazer uma mãe verdadeira. Duvido que consigam fazer uma mãe como foi a minha mãe.

Estes jovens entrevistadores e seus fantásticos gravadores

Se há coisa que comove e estimula um escritor gaúcho é o apoio, sempre dedicado e muitas vezes anônimo, que a literatura rio-grandense recebe em centenas de escolas, às vezes no mais remoto interior. Ainda na semana que passou, vários colégios fizeram realizar a Semana do Escritor Gaúcho. Muitos escritores, entre eles eu, foram procurados para palestras, sessões de autógrafos e entrevistas.

Não são todos os escritores que gostam de falar para estudantes, ou para quem quer que seja; Dalton Trevisan, por exemplo, distribui uma entrevista-padrão mimeografada, e pronto, todo o resto está em seus livros. Eu, porém, gosto de conversar com jovens ou com qualquer pessoa sobre literatura. É um ofício muito solitário, este, de modo que romper a casca de vez em quando é benéfico. Não essencial, mas benéfico; sempre é algum *feedback*. E também é bom ajudar gente moça, que está se iniciando na literatura, e que muitas vezes se aflige com o misterioso código dos textos. Eu às vezes recebo telefonemas aflitos:

– Rápido! Tenho prova amanhã! O que é que o senhor quer dizer com a sua obra?

Não há dúvida que é um bom exercício de síntese e que deve ter alguma utilidade: acredito que, no dia do Juízo, o Senhor nos cobrará mais ou menos nesses termos – Rápido! Qual foi o sentido de sua vida? –, de modo que é bom a gente estar preparado. Mas mesmo quando não estão a algumas horas de um exame, os estudantes entram em ansiedade aguda ante a perspectiva de fazer perguntas a um escritor. Uma das causas deve ser o próprio escritor, sempre uma figura mítica; outra causa deve ser o temor de fazer perguntas inadequadas; mas eu acho que o principal fator de perturbação dos jovens é o gravador.

Nas mãos de um aluno de primeiro ou segundo grau, o gravador se revela um instrumento maligno, simplesmente incapaz de ser controlado – ao menos na ocasião de entrevistar um escritor. É uma rotina que constantemente se repete: entra o grupo de alunos, e em meio a risinhos nervosos, se prepara para a entrevista de antemão combinada. A primeira providência é desdobrar a folha de papel com as mil quatrocentas e vinte perguntas preparadas; a segunda – *conditio sine qua non* para a entrevista – é fazer funcionar o gravador. A primeira coisa que descobrem é que está sem pilhas; nenhum problema, só que a dona do gravador esqueceu de colocá-las. Mas aí, quando ela procura na bolsa, vê que só tem três pilhas, não quatro. A quarta, simplesmente sumiu, e deve ser fornecida pelo escritor, de cujo equipamento intelectual as pilhas são hoje componente indispensável. Colocada a pilha, deveria começar a gravação – e então é aquela atrapalhação com as teclas; em vez de *Record* a menina aperta o *Fast Forward* ou *Rewind.*

O resultado disto é que, quando a entrevista finalmente começa, os entrevistadores não conseguem desgrudar os olhos da cassete, para ver se ela está rodando mesmo, o que acaba contagiando o escritor – e no fim, estão todos mais preocupados com o gravador que com a literatura. Mesmo que a cassete tenha rodado, contudo, não há garantia de que a entrevista tenha saído boa, é possível que os entrevistadores se lembrem que esqueceram de regular o volume, com o que a cassete, tocada, revela apenas uns débeis murmúrios que nem a professora de mais boa vontade poderá identificar com uma voz poderosa da literatura. Começa tudo de novo: onde é que o senhor nasceu? Que livros já escreveu? – etc. E desta vez então dá certo, e os alunos sorriem triunfantes, o escritor se solidariza com eles – bom trabalho, pessoal! – e, como convém à literatura e à vida, chega-se a um final feliz. Que é, afinal, o supremo consolo para os ofícios solitários. Enquanto houver jovens dispostos a – com ou sem gravador – perguntar, valerá a pena escrever e falar sobre o escrever.

Mas, afinal, o que é um namorado?

Vivemos numa época de indefinições, uma época em que os *a favor* e *os contra* diluem-se na massa amorfa dos *muito antes pelo contrário*. Mas nem sempre podem as indefinições ser toleradas. Há amores que não ousam dizer o seu nome, como assinalou o tresloucado Oscar Wilde, mas um namorado a gente precisa saber o que é. Não são só os pais das moças que exigem, indignados, este esclarecimento. Há mais gente interessada no assunto. Os comerciantes, por exemplo. Todos os anos, nesta época, milhares de jovens (jovens, bem entendido, de todas as idades), dirigem-se em massa às lojas. Alegando sua condição de apaixonados, querem comprar presentes para as suas belas (ou belos). Isto, naturalmente, gera tumulto. Os comerciantes não venderão açodadamente seus artigos a impostores; se eles anunciam ofertas especiais para o Dia dos Namorados é porque desejam vender somente para os namorados, e para mais ninguém. Eles exigem, naturalmente, ordem em seus recintos.

E aí é que vem o problema. O que é afinal, um namorado?

O que o caracteriza? Não há nenhum documento para este fim – uma carteira similar, por exemplo, à dos beneficiários do INSS. Também pela aparência externa não é muito fácil distinguir de um ser humano comum – embora alguns sinais ajudem, como será mostrado mais adiante.

O próprio dicionário é vago na definição do termo. Peguem, por exemplo, o *Pequeno Dicionário Brasileiro da Língua Portuguesa*, de autoria (dizem que ele o nega) do mestre Aurélio Buarque de Holanda. Ali está:

> **Namorado**, *adj. Galanteado; meigo; amoroso; substantivo masculino: aquele que é requestado; amante (sinônimos, na linguagem familiar ou popular: derriço, camote, grinfo, pequeno, xodó); nome vulgar de um peixe da família dos Pinguipédidas.*

Está aí. Já viram uma definição mais cheia de circunlóquios e tergiversações? Começa que namorado ora é adjetivo, ora é substantivo – quando todo o namorado que se preza deveria ser um substantivo, e mais: com letra maiúscula.

Depois, é namorado, aquele que é requestado?

A mim parece justamente o contrário. Acho que o namorado deve tomar a iniciativa. Mas isto ainda não é nada, comparado à confusão que segue. *Então namorado é sinônimo de Amante*? Só se for nas publicacões estrangeiras que agora, felizmente, estão sujeitas à Censura. Entre nós, nas melhores famílias, as duas coisas sempre foram muito diferentes, *amante* sendo até uma palavra impronunciável (a não ser por cochichos, e isto mesmo em lugares sombrios, e a horas mortas).

Qualquer pai dirá: amante é uma coisa, namorado é outra, e não será a pílula que apagará a diferença. Qualquer dúvida deverá ser resolvida pelo personagem tradicional nestas circunstâncias: o Delegado.

Mas *amante* pelo menos é uma palavra que a gente conhece. O que dizer de *derriço*, *camote*, *grinfo*, *pequeno*? Sabem lá ao que se referem estas palavras? *Pequeno* o quê? Esta não, mestre Aurélio.

Por último – como diferenciar um namorado autêntico de um vulgar peixe da família dos Pinguipédidas? Pelo habitat? É claro, os peixes vivem na água, mas há muito namoro que começou no mar, ou numa piscina. Os peixes são escamosos – mas há muitos namorados que também o são (aliás, lembrem que num dos livros de Monteiro Lobato a gentil Narizinho namora um peixe – é verdade que da família real, o Príncipe Escamado. Mas era um peixe).

Decididamente, é preciso critérios para diferenciar um namorado verdadeiro – aquele galante jovem que corre à loja pronto para gastar todas as economias num presente para a sua amada – de um amante, ou de um *derriço*, de um *camote* ou um *grinfo*. É preciso distinguir um namorado de um *pinguipédido*, por mais caro que esteja o peixe, e por mais que a Sudepe proteja as companhias de pesca. Então aqui está, para ajudar a todos, um esboço do documento que, no futuro, regulará a atividade de namorado.

Artigo Primeiro – Conceito

Conceitua-se como namorado, para os fins deste regulamento:

a) Todo aquele que sente no mais íntimo de seu ser a força do sentimento conhecido, desde a antiguidade, pelo nome de AMOR;

b) Todo aquele que sente seu coração bater mais forte ao pressentir, pela vista ou pelo olfato, a figura de sua amada estando esta num raio de distância nunca inferior a dois quilômetros:

c) Todo aquele que, pela simples evocação desta mesma amada, deixa escapar – mesmo nos lugares mais inconvenientes – fundo suspiro, a traduzir a força de sua paixão;

d) Todo aquele que for capaz de cometer um soneto, principalmente se se tratar de um acróstico;

e) Todo aquele que gravar seu nome e o da amada na casca de uma árvore.

Parágrafo primeiro: Será considerado namorado-padrão aquele que gravar os dois nomes juntos dentro de um coração trespassado por uma flecha (supondo-se que esta provenha do arco de Cupido);

Parágrafo segundo: Estão dispensados desta condição os namorados ecológicos e aqueles que residirem em zonas não providas de árvores.

f) Todo aquele que acredita que a felicidade pode ser alcançada mesmo por quem mora numa vila popular e ganha o salário mínimo, desde que entre este alguém e sua eleita reine o verdadeiro AMOR.

g) Todo aquele que olha para o céu e vê as estrelas bailando. Todo aquele que ouve na brisa a voz da amada. Todo aquele que se emociona ao ver os pombos arrulhando. Todo aquele enfim, que declara, em alto e bom som, ser um namorado.

Artigo Segundo – Identificação

Todo o namorado poderá a qualquer instante e em qualquer lugar ser solicitado, por quem de direito, a identificar-se.

Parágrafo primeiro: No ato de identificação, o namorado deverá exibir:

– aquele estranho brilho no olhar que é privilégio dos que amam;

– o sedutor sorriso que, idem, idem,

– a destreza das mãos que, idem, idem;

Parágrafo segundo: Em caso de dúvidas, o alegado namorado poderá ser solicitado a entoar uma balada romântica, sendo autuado em flagrante, caso não o fizer com a devida convicção.

Parágrafo terceiro – Se ainda assim as dúvidas persistirem, o namorado deverá beijar uma rã, sendo condenado à pena de prisão por um a cinco dias, caso a rã não se transforme imediatamente em princesa. E não adianta querer transformar sapo em príncipe, está bom? Não é a mesma coisa.

Decididamente, para um namorado que se preza, não é a mesma coisa.

O DEPOIMENTO DE UMA MÃE

Em matéria de mães, as mães judias ocupam uma posição especial – já folclórica – quanto à super-proteção, carinho. Sei disso porque minha mãe, que já morreu, era uma delas.

Por que são assim as mães judias? É difícil explicar. As constantes migrações, a insegurança de países estranhos por certo contribuíram para exacerbar-lhes o sentimento maternal. Mas eu acho que é uma coisa que já vem desde a Bíblia, da qual nos ficou a expressão *Mães do Povo*: Sara, Lea, Rebeca, Raquel. Pensando nisto, imaginei a seguinte entrevista.

***P** – A senhora acredita no conflito de gerações?*

R – Acredito. Como não vou acreditar? Só acho que a culpa não cabe exclusivamente aos pais. Os filhos têm responsabilidade. Falo por experiência própria, com o coração sangrando. Perdi um filho – meu único filho – por ser tolerante demais.

***P** – Conte como foi.*

R – Bom, então vou começar bem do início. Ele nasceu

em condições precárias... éramos muito pobres; meu marido, como operário, ganhava o suficiente para o nosso sustento – mas era só. Além do mais, a época que precedeu o parto foi muito tumultuada... Vivemos problemas... Não gosto de me lembrar. O certo é que fomos obrigados a sair de casa – e aí ocorreu o parto, em circunstâncias tão difíceis que, se eu lhe contar, o senhor não vai acreditar. Felizmente tudo terminou bem.

P *– E a infância dele, como foi?*

R – Ah, passado este período, ele cresceu e se desenvolveu muito bem. Era um menino sadio, lindo que só vendo. Em pequenino nunca incomodou, não chorava de noite. Não teve nenhuma dessas doenças graves. E era muito dedicado: ajudava o pai no serviço...

P *– Um filho modelo, então.*

R – Exatamente. Um filho modelo.

P *– Inteligente?*

R – Vou lhe dizer uma coisa: sou mãe, sou suspeita para falar, mas peço-lhe que acredite em mim. Simplesmente não há palavras que possam descrever a inteligência do meu filho. O senhor vê, nós éramos pobres, gente de pouca cultura. Nos surpreendíamos: como é que este menino sabe tanta coisa? De onde é que ele pode ter aprendido tanto? Chegávamos a ficar assustados, mas orgulhosos; o senhor sabe, somos o povo do Livro da Cultura.

Procurávamos ajudá-lo. Fizemos o possível para educá-lo; com sacrifício até, porque éramos gente pobre, de pouca instrução.

P – E ele dava atenção para a cultura?

R – Demais. Acho até que isto foi a causa de toda a desgraça. A coisa começou assim: um dia, nós morávamos no campo, o levamos à cidade, onde meu marido tinha vários assuntos a tratar. Fomos a muitos lugares; lá pelas tantas demos falta do menino. Procura daqui, procura dali, fomos encontrá-lo no meio de uns homens muito mais velhos do que ele, senhores respeitáveis. O menino falando; e eles escutando! Senti um baque no coração. Vi que aquilo ia terminar mal. Ele era diferente.

P – Diferente como?

R – Ora, o que é que uma mãe judia espera de seu filho? Que estude, que tenha uma profissão, que case com uma boa moça. Meu filho, não. Em primeiro lugar, não trabalhava. Andava de um lugar para outro, de uma cidade para outra, falando com um, falando com outro, fazendo comícios.

P – E o que dizia nos comícios?

R – Sei lá. Nunca entendi bem. Só pedia que ele deixasse aquilo, que arranjasse um trabalho. Meu marido falava a mesma coisa:

"Olha, se tu queres abrir uma lojinha, eu te ajudo; não tenho recursos, mas dou um jeito: peço dinheiro emprestado, vendo minhas ferramentas, faço qualquer coisa. Mas, pelo amor de Deus, dá um jeito na tua vida." Ele não queria saber de nada. Dizia que tinha uma missão a cumprir. Que missão tão importante é essa, eu perguntava, que tu não podes nem casar?

P – Ele não casou?

R – Não. E não foi por faltar ocasião. Havia boas moças interessadas nele. Não quis nenhuma.

***P** – Quem sabe ele tinha algum problema...*

R – Que problema? Meu filho não tinha nenhum problema. Era 100 por cento sadio. Na nossa família ninguém tem problemas. Se ele era assim com a gente, foi por causa das más companhias. Ele se meteu com uma turma de desocupados e andavam por aí, batendo estrada.

***P** – E a senhora não o via mais?*

R – De vez em quando ele aparecia. Não posso negar que ficava orgulhosa: a multidão que o seguia era cada vez maior. Mas, quando estávamos sozinhos, eu lhe dizia, olha bem o que estás fazendo, te cuida para não te meter em encrencas. Ele dizia que estava tudo certo, tudo previsto, que eu não me preocupasse.

***P** – E foi aí que ele foi preso.*

R – É, aí ele foi preso.

***P** – E a senhora?*

R – O que é que eu podia fazer? Me diga, o que é que podia fazer uma mulher pobre e fraca? Falei com um, falei com outro, tentei mover gente influente. Não adiantou nada.

***P** – E ele foi executado.*

R – Foi. Junto com delinqüentes. O senhor já imaginou o que foi a minha dor? A dor de uma mãe? Era meu único filho! Meu filho querido!

***P** – Sim... É doloroso. Mas a senhora vê, hoje em dia tanta gente o reverencia...*

R – Sim.

***P** – Este seu sim não parece muito entusiasmado. Aliás, vou arriscar uma opinião; posso estar enganado, mas acho que a senhora preferiria ter seu filho por perto, casado, lhe dando netos. Acho que a senhora nunca admitiu que um filho deve crescer e seguir o seu próprio caminho, por árduo que seja – e ainda que termine em tragédia. Mas a senhora era mãe eterna, a mãe imortal...*

R – Isto aí que o senhor está falando não é uma pergunta; é um discurso que eu não entendi bem. O senhor sabe as coisas, o senhor escreve, eu apenas sinto. E lhe digo o que sinto: para mim, meu filho está vivo. Se ele voltar, vai encontrar seu lugar na mesa, a cama pronta, e os meus braços sempre abertos. Nós, mães, somos assim.

Rito de passagem

Um dia seu filho se aproxima e diz, assim como quem não quer nada: "Pai, fiz a barba". E, a menos que se trate de um pai desnaturado ou de um barbeiro cansado da profissão, a emoção do pai será inevitável. E será uma complexa emoção, essa, um misto de assombro, de orgulho, mas também de melancolia. O seu filho, o filhinho que o pai carregou nos braços, é um homem. O tempo passou.

Barba é importante. Sempre foi. Patriarca bíblico que se prezasse usava barba. Rei também. E um fio de barba, ou de bigode, tradicionalmente se constitui numa garantia de honra, talvez não aceita pelos cartórios, mas prezada como tal. A barba nos introduz não apenas à masculinidade, mas à maturidade. Fazer a barba é um rito de passagem.

Como rito de passagem, ele não dura muito. Fazer a barba, no início, é uma revelação; logo passa à condição de rotina, e às vezes de rotina aborrecida. Muitos, aliás, deixam crescer a barba por causa disto, para se ver livre do barbeador ou da lâmina de barbear. Mas, quando seu filho se olha ao espelho, e constata que uns poucos e esparsos pêlos exigem – ou permitem – o ato de barbear-se, ele seguramente vibra de satisfação.

Nenhum de nós, ao fazer a barba pela primeira vez, pensa que a infância ficou para trás. E no entanto é exatamente isto: o rosto que nos mira do espelho já não é mais o rosto da criança que fomos. E o rosto do adulto que seremos. E os pêlos que a água carrega para o ralo da pia levam consigo sonhos e fantasias que não mais voltarão.

É bom ter barba? Esta pergunta não tem resposta. Esta pergunta é como a própria barba: surge implacavelmente, cresce não importa o que façamos. Cresce mesmo depois que expiramos. E muitos de nós expiramos lembrando certamente o rosto da criança que, do fundo do espelho, nos olha sem entender.

Trabalho de grupo

Grupo é hoje uma palavra mágica. Todo mundo usa, não é difícil ouvir jogadores de futebol dizendo "o grupo está motivado", o que é um bom substituto para o "fazeremos tudo pela vitória de nosso time". A expressão "dinâmica de grupo" é corriqueira na área psi, empresas recorrem a grupos-tarefa e assim por diante. Mas é na escola que o trabalho de grupo se impôs, como forma pedagógica eficaz, socializante, produtiva.

Bem, então alunos têm de fazer um trabalho em grupo. A primeira coisa a fazer é identificar o lugar: precisa ser grande, precisa ter enciclopédia e computador, mas precisa sobretudo contar com uma geladeira bem sortida. É incrível a fome que o trabalho de grupo desperta nos adolescentes.

Bem, mas então eles se reúnem. Começam distribuindo tarefas. Supondo que o assunto seja, por exemplo, a tabela periódica dos elementos, dois ou três vão ler sobre Mendelejeff, outros dois ou três vão reproduzir a tabela e assim por diante. Durante algum tempo, o esquema funciona, e a casa parece um verdadeiro instituto de pesquisas, com os componentes do grupo trabalhando afanosamente.

Aí dá fome. Se o suprimento doméstico não é suficiente, é preciso providenciar alguma coisa: por exemplo uma pizza, daquelas tamanho roda de caminhão. Encomendar a pizza justifica um novo trabalho de grupo: é preciso discutir a composição, o lugar onde encomendar, o preço. Quando o entregador finalmente chega, a tarefa foi para o espaço. A essa altura, os componentes do grupo já descobriram que os joguinhos de computador são muito mais interessantes do que a tabela periódica e que o filme na tevê substitui com vantagem a vida de Mendelejeff.

Mas o trabalho de grupo será feito, disso não tenham dúvida. Sempre há alguém no grupo que faz o trabalho de grupo. É aquele magrinho de óculos que não come nada, não se interessa por videogames e acredita que tarefa é tarefa. Ter o magrinho de óculos disponível é, em verdade, a grande realização do grupo. Aquilo que faz dele uma instituição vitoriosa.

Controle remoto

Ah, se os filhos da gente tivessem controle remoto, suspirou o homem que veio lá em casa consertar a televisão, e eu entendi bem o que pretendia dizer: se conhecêssemos tão bem a infância e a adolescência quanto conhecemos os aparelhos que usamos, e se pudéssemos controlar estas difíceis fases da vida por um sistema previamente codificado – aí, sim, seríamos felizes.

Seríamos? Tenho minhas dúvidas. Imaginemos que pudéssemos controlar as manifestações de nossos filhos, da mesma maneira que mudamos os canais no televisor. Sintonizamos, por exemplo, um noticiário. Boas notícias? Duvido. "Pai, estou precisando de um tênis novo." "Mãe, resolvi que vou morar com o Pedrinho", "Pai e mãe descobri que vocês me educaram errado."

Mudamos rapidamente de canal. E ali estão os nossos filhos num filme. Que filme? De terror, obviamente: "O Pesadelo dos Pais, Parte Cinco". Sinopse: filhos revoltados descobrem um jeito de reduzir os genitores a dimensões minúsculas. Prisioneiros numa garrafa, os pais vêem os filhos... Etc.

Outro canal: filme daqueles com correria de automóvel. Melhor nem olhar.

Outro: um programa de debates. Ali estão os filhos, falando sobre as limitações dos pais e das mães de hoje: "Eles têm de ser totalmente recondicionados. Mostram-se completamente incapazes de compreender o que se passa na cabeça da gente." Voltamos para o primeiro canal: "Acredite, se Quiser". Este, não queremos nem olhar. O que não farão dos pais num programa como este?

Mas talvez controle remoto de vídeo, então, permitindo dar-lhes um "stop" quando necessário, um "play" quando temos vontade, voltar para trás quando nos assalta a nostalgia. Sim, mas não suportaremos o "fast forward", que nos projetará irremediavelmente em direção ao futuro em que eles, os filhos, serão pais, e nós, os pais, seremos – o quê? – nem é bom pensar.

Não, controle remoto, não. Afinal, nem tudo que é progresso é benéfico. Principalmente quando se trata de algo tão antigo quanto a arte de criar filhos.

É PERMITIDO SONHAR

Os bastidores do vestibular estão cheios de histórias – curiosas, estranhas, comoventes. O jovem que chega atrasado por alguns segundos, por exemplo, é uma figura clássica, e patética. Mas existem outras figuras capazes de chamar a atenção.

Takeshi Nojima é um caso. Ele fez vestibular para a Faculdade de Medicina da Universidade do Paraná. Veio do Japão aos 11 anos, trabalhou em várias coisas, e agora quer começar uma carreira médica.

Nada surpreendente, não fosse a idade do Takeshi: ele tem 80 anos. Isto mesmo, 80. Numa fase em que outros já passaram até da aposentadoria compulsória, ele se prepara para iniciar nova vida. E o faz tranqüilo: "Cuidei de meus pais, cuidei de meus filhos. Agora posso realizar um sonho que trago da infância".

Najima trabalhou muito. Com a persistência e a resignação características de um povo que sobreviveu a muitos infortúnios (está aí o terremoto de Kobe a comprová-lo) ele foi em frente. Criou bicho-da-seda, vendeu tomates, foi dono de mercearia e de uma loja de produtos agrícolas. Deixou os estudos aos 15 anos, só conseguiu concluir o segundo grau em 1960, com 46 anos; e apenas no início de 1994 é que retomou seu projeto, com o apoio da mulher, Vera, professora universitária de 48 anos. Fez cursinho – detalhe: em companhia do neto Elton, que pretende cursar administração.

O que o espera é igualmente duro: seis anos de um curso muito difícil, que começa sob a ominosa visão do cadáver, nas aulas de anatomia. Seguem-se outras cadeiras básicas, a clínica, a cirurgia, as especialidades. E o esforço não se encerra com o diploma: vem depois a residência, com seus plantões e seu estafante trabalho. Mas Nojima não se perturba com isto. Ele sabe até a especialidade que fará, geriatria (e seguramente será um médico mais velho que muitos de seus velhos pacientes). "Quero ensinar o povo a viver mais", declara. Viver mais, e melhor, é uma coisa que felizmente não depende de vestibular.

Não faltará quem critique Takeshi Nojima: ele está tirando o lugar de jovens, dirá algum darwinista social. Eu ponderaria que nem tudo na vida se regula pelo critério cronológico. Há pais que passam muito pouco tempo com os filhos e nem por isso são maus pais; o que interessa é a qualidade do tempo, não a quantidade. Talvez a expectativa de vida não permita ao vestibulando Nojima uma longa carreira na profissão médica. Mas os anos, ou os meses, ou mesmo os dias que dedicar a seus pacientes terão em si a carga afetiva de uma existência inteira.

Não sei se Takeshi Nojima passou no vestibular; a notícia que li não esclarecia a respeito. Mas ele mesmo disse que isto não teria importância: se fosse reprovado, começaria tudo de novo. E aí de novo ele dá um exemplo. Os resultados do difícil exame trazem desilusão para muitos jovens, e não são poucos os que pensam em desistir por causa de um fracasso. A estes eu digo: antes de abandonar a luta, pensem em Takeshi Nojima, pensem na força de seu sonho. Sonhar não é proibido. É um dever.

Uma parábola de Natal

Papai Noel, como sabemos, existe há muito tempo. E é uma figura universal: ele vai aos mais longínquos lugares, sempre disposto a ouvir os pedidos das crianças e, quando possível, atendê-los. Foi assim que um dia o bom velhinho se viu naquela longínqua e perturbada região do mundo conhecida como Oriente Médio. E lá, perto de uma aldeia, encontrou um menino que brincava. Sem demora, dirigiu-se a ele:

– Meu filho, sou o Papai Noel. Tiveste sorte: já que te encontrei, estou disposto a satisfazer um desejo teu. Diz-me, portanto, o que queres.

O menino não respondeu: fitava-o, em silêncio. Perturbado, o Papai Noel insistiu:

– Vamos lá, diz o que desejas. Para outros, faço restrições, mas a ti estou disposto a fazer concessões especiais. O que queres? Brinquedos? Mesa farta? Quem sabe uma casa nova para ti e teus pais?

– De que adianta a alguém – replicou o menino – ganhar

o mundo inteiro, se perde a si mesmo?

A resposta deixou Papai Noel perturbado. Esperava uma lista comprida de pedidos, não uma ponderação como a que acabava de ouvir. Mas não podia perder a compostura: afinal, era uma figura pública. Optou por ignorar as palavras do menino. Apontando-lhe a roupa modesta, propôs:

– Que tal um traje novo? Hein? Que me dizes? Posso te arranjar um de excelente tecido.

– Observa – disse o jovem – os lírios do campo, que não fiam nem tecem. E contudo, eu te digo: nem mesmo o rei Salomão, com toda sua pompa, se vestiu como um deles.

A esta altura, Papai Noel estava francamente perplexo – e alarmado:

– Escuta, esta tua atitude não leva a nada. Deste jeito, nunca conseguirás coisa alguma. Serás pobre, passarás fome...

– Bem-aventurados os pobres – exclamou o menino –, porque deles é o reino de Deus. Bem-aventurados os que têm fome, porque serão saciados.

Com o que Papai Noel resolveu desistir e ir embora. Ali nada tinha a fazer. Era mesmo um menino muito estranho, aquele Jesus de Nazaré.

Carta a um assaltante

Prezado senhor assaltante: Não pretendo aqui discutir sua metodologia de trabalho, nem mesmo a motivação que o leva a roubar. Afinal de contas este país esteve, há não muito tempo, nas mãos de uma quadrilha, e que eu saiba ninguém aventou problemas psicológicos para justificar o que faziam. De outra parte, todos nós sabemos que o crime viceja, como erva daninha, na miséria em que vivemos.

Quero, porém, ponderar que, como dizia Jean Valjean em *Os Miseráveis,* há roubos e roubos. Quem rouba um pão é ladrão. Quem rouba um milhão é barão.

Mas quem não rouba nem pão nem milhão, o que é? Quem rouba a bicicleta de um garoto, o que é?

Esta é uma resposta que não consigo encontrar, senhor assaltante. Assim como não consigo encontrar resposta para a pergunta que me fez uma moça, dona de uma confeitaria que foi assaltada. A gente trabalha, trabalha, no fim do dia vem um ladrão e leva tudo – é justo?

Outro dia passei por um carro e vi nele um anúncio que me chamou a atenção. Dizia: "Este carro não tem rádio: já foi roubado. Este carro também não tem nada de valor".

Uma advertência destas dirigida a assaltantes pressupõe algumas coisas. Primeiro, que o assaltante saiba ler, o que no passado raramente acontecia (mas também no passado raramente os crimes eram tão brutais). Segundo, apela para uma racionalidade que o assaltante, como qualquer ser humano, deve possuir. Em suma: admite a possibilidade de um diálogo.

Se este diálogo pode existir, senhor assaltante, eu faria uma sugestão. Acho que os assaltantes devem impor alguma forma de limite às suas atividades.

Porque os assaltos estão enlouquecendo as pessoas, e não se trata só dos ricos: todo mundo sabe que as maiores vítimas da violência estão nas vilas populares. E esta perda do bom senso leva a conseqüências imprevisíveis: gente armada, gente pedindo a pena de morte.

Não dá para voltar aos bons roubos de antigamente?

Não dá para simplesmente, e com mãos de artista, bater a carteira de um passageiro de ônibus, levando só os trocados e deixando-o, pelo menos, com uma sincera admiração: "Puxa, mas esse cara é bom mesmo"?

Pense nisto, senhor assaltante. A propósito: se o senhor quiser ler esta crônica, não roube o jornal. Eu lhe dou o meu exemplar.

CARTA A UM JOVEM QUE FOI ASSALTADO

Foste assaltado. Bem, a primeira coisa a dizer é que isto não chega a ser um fato excepcional. Excepcional é ganhar um bom salário, acertar a loto: mas ser assaltado é uma experiência que faz parte do cotidiano de qualquer cidadão brasileiro. Os assaltantes são democráticos: não discriminam idade, nem sexo, nem cor, nem mesmo classe social – grande parte das vítimas é das vilas populares.

É claro que na hora não pensaste nisto. Ficaste chocado com a fria brutalidade com que o delinqüente te ordenou que lhe entregasse a bicicleta (podia ser o tênis, a mochila, qualquer coisa).

Entregaste e fizeste bem: outros pagaram com a vida a impaciência, a coragem ou até mesmo o medo – não poucos foram baleados pelas costas.

Indignação foi o sentimento que te assaltou depois. Afinal, era o fruto do trabalho que o homem estava levando. Não fruto do teu trabalho – até poderia ser – mas o fruto do trabalho do teu pai, o que talvez te doeu mais.

Ficaste imaginando o homem passando a bicicleta para o receptador, os dois satisfeitos com o bom negócio realizado. É possível que o assaltante tenha dito, nunca ganhei dinheiro tão fácil. E, pensando nisto, a amargura te invade o coração. Onde está o exército? Por que não prendem essa gente?

Deixa-me dizer-te, antes de mais nada, que a tua indignação é absolutamente justa. Não há nada que justifique o crime, nem mesmo a pobreza.

Há muito pobre que trabalha, que luta por salários maiores, que faz o que pode para melhorar a sua vida e a vida de sua família – sem recorrer ao roubo ou ao assalto. Mas tudo que eles levam, os ladrões e assaltantes, são coisas materiais. E enquanto estiverem levando coisas materiais, o prejuízo, ainda que grande, será só material.

Mas não deves deixar que te levem o mais importante. E o mais importante é a tua capacidade de pensar, de entender, de raciocinar. Sim, é preciso se proteger contra os criminosos, mas não é preciso viver sob a égide do medo.

Deve-se botar trancas e alarmes nas portas, não em nossa mente. Deve-se repudiar o que fazem os bandidos, mas deve-se evitar o banditismo.

Eles te roubaram. É muito ruim, isto. Mas que te roubem só aquilo que podes substituir. Que não te roubem o coração.

Cartas de amor

Eu era aluno do Júlio de Castilhos e estudava à tarde (as manhãs, naquela época, estavam reservadas às turmas femininas). Um dia cheguei para a aula, coloquei meu livros na carteira e ali estava, bem no fundo, um papel cuidadosamente dobrado. Era uma carta; dirigida não a mim, mas "ao colega da tarde". E era uma carta de amor. De amor, não; de paixão. Paixão fogosa, incontida, transbordante, a carta de uma alma sequiosa de afeto. À qual o jovem escritor não teve a menor dificuldade de responder.

Iniciou-se assim uma correspondência que se prolongou pelo ano letivo, não se interrompendo nem com as provas, nem com as férias de julho. À medida que o ano ia chegando a seu fim, os arroubos epistolares iam crescendo. Cheguei à conclusão de que precisava conhecer a minha misteriosa correspondente, aquela bela da manhã que me encantava com suas frases.

Mas... Seria realmente bela? A julgar pela letra, sim; eu até a imaginava como uma moça esguia, morena, de belos olhos verdes. Contudo, nem mesmo os grandes especialistas em grafologia estão imunes ao erro, e um engano poderia ser trágico. Além disto, eu já tinha uma namorada que não escrevia, mas era igualmente fogosa.

Optei, portanto, pelo mistério, pelo "nunca te vi, sempre te amei". A minha história de amor continuou somente na fantasia. Que é o melhor lugar para as grandes histórias de amor.

AI, GRAMÁTICA.
AI, VIDA.

O que a gente deve aos professores! Este pouco de gramática que eu sei, por exemplo, foram Dona Maria de Lourdes e Dona Nair Freitas que me ensinaram. E vocês querem coisa mais importante do que gramática? *La grammaire qui sait régenter jusqu'aux rois* – dizia Molière: a gramática que sabe reger até os reis, e Montaigne: *La plus part des ocasions des troubles du monde sont grammairiens* – a maior parte das ocasiões de confusão no mundo vem da gramática.

Há quem discorde. Oscar Wilde, por exemplo, dizia de George Moore: *escreveu excelente inglês, até que descobriu a gramática.* (A propósito, de onde é que eu tirei tantas citações? Simples: tenho em minha biblioteca três livros contendo exclusivamente citações. Para enfeitar uma crônica, não tem coisa melhor. Pena que os livros são em inglês. Aliás, inglês eu não aprendi na escola. Foi mais com a revista MAD e outras que vocês podem imaginar).

Discordâncias a parte, gramática é um negócio importante e gramática se ensina na escola – mas quem, professoras, nos ensina a viver? Porque, como dizia o Irmão Lourenço, no schola sed vita – é preciso aprender não para a escola, mas para a vida. (A propósito – de novo – aí não deveria se usar o acusativo, em vez do dativo? Latinistas: cartas para a redação).

Ora, dirão os professores, vida é gramática. De acordo. Vou até mais longe: vida é pontuação. A vida de uma pessoa é balisada por sinais ortográficos. Podemos acompanhar a vida de uma criatura, do nascimento ao túmulo, marcando as diferentes etapas por sinais de pontuação.

Querem ver? Olhem esta biografia.

Infância: a permanente exclamação

Nasceu! É um menino! Que grande! E como chora! Claro, quem não chora não mama!

Me dá! É meu!

Ovo! Uva! Ivo viu o ovo! Ivo viu a uva! O ovo viu a uva!

Olha como o vovô está quietinho, mamãe!

Ele não se mexe, mamãe! Ele nem fala, mamãe!

Ama com fé e orgulho a terra em que nasceste! Criança – Não verás nenhum país como este!

Dá agora! Dá agora, se tu és homem! Dá agora, quero ver!

A puberdade: a travessia (ou o travessão)

Papai, eu queria – não, não é que eu queria – bom, tu sabes eu precisava – bom, não é bem isto – bom, eu pensei – bom, deixa, agora não posso falar, amanhã quem sabe eu – bom –

– O que eu acho, Jorge – não sei se tu também achas – o

que eu acho – porque a gente sempre acha muitas coisas – o que eu acho – não sei – tu és irmão dela – mas o que eu estive pensando – pode ser bobagem – mas será que não é de a gente falar – não, de eu falar com a Alice – .

– Alice tu sabes – tu me conheces – a gente se dá – a gente conversa – tudo isto Alice – tanto tempo – eu queria te dizer Alice – é difícil – a gente – eu não sei falar direito.

Juventude – a interrogação

Mas quem é que eu sou afinal? E o que é que eu quero? E o que que vai ser de mim? E Deus, existe? E Deus cuida da gente? E o anjo da guarda, existe? E o diabo? E porque é que a gente se sente tão mal?

E o que é isto que me saiu aqui, Jorge? Tu achas que isto é doença pegada, Jorge? Mas ela não era limpinha? Ai, Jorge, será que isso pega? Tu não achas que eu não deveria chegar perto da Alice? Quem sabe eu vou no médico, Jorge? Será que ele não vai cobrar muito caro?

Mas por que é tem pobres e ricos? Por que é que uns têm tudo e outros não têm nada? Por que é que uns têm auto e outros andam a pé? Por que é que uns vão viajar e outros ficam trabalhando?

As pausas receosas (receosas, vírgula, cautelosas) do jovem adulto

Estamos, meus colegas, todos nós, hoje, aqui, nesta festa de formatura, nesta festa, que, meus colegas, é não só nossa, colegas, mas também, colegas, de nossos pais, de nossos irmãos, de nossas noivas, enfim, de todos quantos, nas jornadas, penosas embora, mas confiantes sempre, nos acompanharam, estamos, colegas, cônscios de nosso dever, para com a família, para com a comunidade, para com esta Faculdade, tão jovem, tão batalhadora, mas ao mesmo tempo tão, colegas, tão.

É claro, Jorge, eu quero casar com Alice, é claro, aliás, entendo tua preocupação, ela é tua irmã, vocês viveram sempre juntos, aliás, nós três, sempre juntos, mas Jorge, quero que compreendas.

Lógico, senhor diretor, o senhor, naturalmente, tem toda a razão, senhor diretor, estou perfeitamente, mas perfeitamente, de acordo, quero que o senhor, senhor diretor, me compreenda, o Jorge, naturalmente, é meu cunhado, mas senhor diretor, se for para o bem da empresa, não vejo por que, senhor diretor, dada a atual situação, que, todos sabemos, é de, embora passageira, severa retração, não vejo por que, naturalmente com toda a diplomacia, não dispensar os serviços dele, já que, não é,

Ora, caros companheiros de clube, todos aqui conhecem, certamente, minha posição, que não é de hoje, mas é de sempre, da infância, até, eu diria, todos conhecem, repito, minha posição, que é bem clara, em relação a certos problemas sociais, pois eu sempre tenho dito, que se pode pedir, se pode reivindicar, se pode, até exigir, mas, sempre, dentro dos limites do razoável, do senso comum, sem radicalismo, sem paixões, porque, afinal,

O homem maduro. No ponto.

Uma cambada de ladrões. Têm de matar.

Matar. Pena de morte.

O Jorge também. Cunhado também. Tem de matar. Esquadrão da morte. E ponto final.

No meu filho mando eu. E filho meu estuda o que eu quero. Sai com quem eu quero. Lê o que eu quero. Freqüenta os clubes que eu mando.

Tu ouviste bem, Alice. Não quero discutir mais este assunto. E ponto final.

Chiou, boto, prá rua. Não tem conversa. É pão pão queijo queijo. É lé com lé cré com cré. Cada macaco no seu galho. Na minha firma mando eu. No clube que presido mando eu. E na minha casa mando eu. E ponto final.

(Um parêntese)

(Está bem, Luana, eu pago, só não faz escândalo)

O final... reticente...

Sim, o tempo passou... E eu estou feliz... Foi uma vida bem vivida, esta... Aprendi tanta coisa... Mas das coisas que aprendi... A que mais me dá alegria... É que hoje eu sei tudo... Sobre pontuação...

Impressão:

GRÁFICA EDITORA
Pallotti IMAGEM DE QUALIDADE
SANTA MARIA - RS - FONE: 222.3050

Com filmes fornecidos